安倍晋三が生きた日本史

櫻井よしこ

産経セレクト

S-032

まえがき

安倍晋三総理が亡くなって一年、その死を悼む想いは少しもうすれない。稀有《けう》な政治家であり、深い優しさを湛《たた》えていた総理への想いを書いてみた。

本書は四部構成からなる。第一部では安倍総理と明治政府を創った人々との共通項に焦点を当てた。第二部には「言論テレビ」での対談を載せた。安倍総理の言葉遣いなど、ほぼ当時のままだ。第三部は総理が暗殺された直後に「週刊新潮」に寄稿した文章を、同誌編集長の快諾を得て転載した。第四部ではどう考えても納得のいかない総理の、その死の意味を問うた。

見えてきたのは安倍総理が生きた日本の歴史だった。総理は日本の歴史を生ききった。志《こころざし》半ばで終わった命も、実は歴史の中で生き続けるということだった。

お読みいただければ望外の喜びである。

令和五年六月六日

櫻井よしこ

安倍晋三が生きた日本史◎目次

まえがき

第一部　英雄たちの愛国

第三部　私と安倍晋三総理

第四部　倭しうるはし

装丁　神長文夫+柏田幸子
DTP製作　荒川典久
写真提供　言論テレビ

第一部は書き下ろし、第二部はインターネット番組「言論テレビ」の対談を元に構成、第三部、第四部は雑誌への寄稿を元に加筆したものです。第二部の放送日、第三部、第四部の初出は各部の扉裏と各章末に記しています。

第二部の数字や肩書きなどは対談時のものです。

第一部　英雄たちの愛国

郵便はがき

100-8077

63円切手を
お貼りください

東京都千代田区大手町1-7-2

産経新聞出版　行

お名前《フリガナ》	
性別　男・女	年齢　10代 20代 30代 40代 50代 60代 70代 80代以上
ご住所　〒 （TEL.　　　　）	
ご職業　1.会社員・公務員・団体職員　2.会社役員　3.アルバイト・パート 4.農工商自営業　5.自由業　6.主婦　7.学生　8.無職 9.その他（　　　）	
・定期購読新聞 ・よく読む雑誌	
読みたい本の著者やテーマがありましたら、お書きください	

書名　**安倍晋三が生きた日本史**

このたびは産経新聞出版の出版物をお買い求めいただき、ありがとうございました。今後の参考にするために以下の質問にお答えいただければ幸いです。抽選で図書券をさしあげます。

●本書を何でお知りになりましたか？

□紹介記事や書評を読んで・・・新聞・雑誌・インターネット・テレビ

媒体名（　　　　　　　　　　　　　　　　）

□宣伝を見て・・・新聞・雑誌・弊社出版案内・その他（　　　　　）

媒体名（　　　　　　　　　　　　　　　　）

□知人からのすすめで　□店頭で見て

□インターネットなどの書籍検索を通じて

●お買い求めの動機をおきかせください

□著者のファンだから　□作品のジャンルに興味がある

□装丁がよかった　□タイトルがよかった

その他（　　　　　　　　　　　　　　　　）

●購入書店名

●ご意見・ご感想がありましたらお聞かせください

（ご回答いただいたご意見・ご感想は広告等で使用させていただく場合があります。）

国家の危機に

英雄たちの戦い

吉田松陰《よしだしょういん》、橋本左内《はしもとさない》、横井小楠《よこいしょうなん》といった幕末の思想家たち、彼らに続く井上毅《いのうえこわし》、伊藤博文《いとうひろぶみ》、山縣有朋《やまがたありとも》その他の多くの明治日本を創り上げた英雄たちの考え方や行動、立てた志、成し遂げたこと、未完に終わって次世代に引き継いだことなどを振りかえる度、私は一人一人の抱いていた想いが形を変えて亡き安倍晋三総理の内にもあったと感ずる。

それは当然なのだ。安倍総理と一群の英雄たちが重なるのは、彼らが皆、日本を日本らしい国として存続させようと考えた人々だったからだ。彼らは日本国の国柄に覚醒《かくせい》した人々だった。日本国の日本国たる由来に気付いて覚醒し、回帰を果たして大きな未来展望へと日本国を導く決意が彼らを貫く通奏低音である。揺るぎない基盤から生まれる諸策は妥協のなさゆえに熱を帯び、時に過激に傾く。

彼らは日本が陥った窮地《きゅうち》への危機感を鋭く見て取った。危機とは、往時にあっては西洋列強の圧倒的強さである。現代にあっては日米欧vs中露の両陣営の対立の狭間で憲法に縛られ蹲《うずくま》るしかないわが国の現状である。

現状維持では生き残れない。根本的変革の必要性は痛いほどだ。それなのになぜ気付かないのか。安穏《あんのん》と旧態に沈み込んだまま日本国の稀有《けう》な国柄を失い、国勢の衰退を許してはならない。進んで受け入れ、変わり、同時に日本国の根本を堅く守らなければならない。警鐘《けいしょう》を乱打する。しかし、それは届かない。政府を、人々を、目醒《めざ》めさせるには、我独り、死んでもよい、火だるまになってもよい。そうすれば、皆は悟るか、覚醒するか。

明治国家を創った英雄たちはそんな想いで唯一この道を進むしかないと、心に決めて戦った。彼らの姿は安倍総理の姿と幾重にも重なる。

幕末の日本を閃光《せんこう》で貫いた一群の偉人達と安倍総理はそっくりだ。第一次政権時のガムシャラな進み方は、安倍総理が敬愛した「松陰先生」の突出した行動力そのものである。疾《はや》る心に駆り立てられ六〇年振りに教育基本法を改正した。戦後ずっと放置されていた憲法改正に必要な国民投票法を法制化した。安倍総理は日本という国家の基本問題に手をつけた初めての宰相《さいしょう》だった。

だが氏は直後に病魔に襲われた。そしてその後の長い年月を耐えた。自らを鍛えて次に政権を創ったときは別人になっていた。老錬でしたたかな人物へと成長した安倍総理は大日本帝国憲法の起草を通して日本の日本たる由縁《ゆえん》を取り戻した井上毅と同じく、日本への根本的知的愛国心に溢《あふ》れていた。だが安倍総理は戦後の日本がどっぷり浸《ひた》ったＧＨＱ（連合国軍総司令部）制定の憲法を改正するのに必要な議席数を得ても、尚《なお》踏み切らない。手にした国会議員三分の二の数の脆弱《ぜいじゃく》さを見てとって、時機の熟するのを待った。憲法改正を万全の形でやり遂げられない時、日本の世論は分断され多くの試練が生ずることを見通していたからだ。機会を窺《うかが》う安倍総理の慎重さは伊藤博文や山縣有朋の老獪《ろうかい》さと重なると感ずる。

明治国家を創り上げた先人達と安倍晋三氏の道を辿ってみたい。

天下に為す者

幕末、志士たちの殆《ほとん》どが、思索家、佐久間《さくま》象山《しょうざん》か横井小楠の下で学んでいる。象山の門人には「両虎」と呼ばれた二人がいた。長岡藩の小林虎三郎と長州藩の吉田松陰（寅次郎）である。松陰は嘉永四（一八五一）年に、二一歳で入門、虎三郎は松陰より少し前、同年三月に二三歳で入門していた。

象山は二人をこう論評した。

「義卿（松陰）の胆略、炳文（虎三郎）の学識、皆稀世《きせい》の才なり。但《ただ》事を天下に為す者は、吉田子なるべく、我子を依託して教育せしむべき者は、独り小林子なるのみ」

松陰の大胆で知略のあること、虎三郎の学識豊かなことは皆、世に稀《まれ》なる才能である。ただ、天下の一大事を成し遂げる者は吉田松陰であり、わが子を託して教育してもらうとしたら、小林虎三郎こそその人材だ、というのだ。

象山が喝破したように、松陰はこの日からわずか八年後、安政《あんせい》の大獄《たいごく》で大老井伊直《いいなお》弼《すけ》によって死罪に処される。瑞々《みずみず》しい二九歳だった。それより前、松陰の松下村塾《しょうかそんじゅく》には約六〇人の門人が学んだ。時代の大変革の中、松下村塾は二年三カ月続いた。歴史においてこれを見れば、天の恩寵《おんちょう》によって、にわかに稲妻が走り、閃光で日本国を照らした一瞬だった。明治新政府を立てて堂々たる国造りを完遂した一群の人材がここから輩出された。「松陰先生」は正に国家の一大事を成し遂げる力の源泉となったのだ。そして加えれば松陰先生は虎三郎に劣らぬ教育者でもあった。

虎三郎は明治一〇（一八七七）年に病死するまで、四九年の生涯を生きた。私が中高時代を過ごした故郷、新潟県長岡市では虎三郎が戊辰《ぼしん》の役で焼け落ちた町に国漢学校をつくり、教育の基本を築いたことを、人々は今に伝えて敬愛する。彼は教育者として優れた実績を残し、象山が望んだように象山の子息、恪二郎《かくじろう》の教育にも携わった。

虎三郎は実に立派な精神の輝きをもたらした。それにしては、現在の長岡の政治風土を見るとき、いささか疑問を抱かざるを得ない。故郷の人々は虎三郎の精神を受け継ぐにおいて、十分か。たとえば、長岡の人々の代表を選ぶ大事な選挙において、公よりも私を大事にする動きや、思想信条において相容れない共産党や革新陣営に与《くみ》する動きがなしとしない。虎三郎も河井継之助《かわいつぎのすけ》も長岡の現状を見れば嘆き切歯することであろう。厳しい自省と自問が必要だと、私は感じている。そして思う。それは長岡独りの問題ではなく、恐らく日本全体について言えることだ。さらにこうした事情があるが故に、かつての英雄たちが辿ったのと同様の悲劇を、安倍総理は辿らざるを得なかったのではないかとも思う。

黒船来航に

安倍総理が敬愛してやまなかった松陰先生はペリーの黒船来航に烈しく反応した。嘉永六年六月三日（一八五三年七月八日）、陽もまだ明るい午後五時頃、ペリーは東インド艦隊司令官として四隻の軍艦を率いて浦賀に来航した。象山は四日未明に報せを受け、直ちに住み込みの門弟らを率いて出立、同日夜、浦賀に到着した。松陰は桜田門の長州藩上屋敷に立ち寄った際にこの報を聞き、直ちに師、象山の塾に駆けつけた。

師はすでに出立しており、松陰は五日の夜一〇時頃、一日遅れで浦賀に着いた。

艦隊は浦賀港の東南一六～一七町（一・七～一・九キロ）以上離れた沖合に錨《いかり》を下ろした。ペリーは艦船の大砲の砲窓を広く開き、戦闘準備を整えて日本を睥睨《へいげい》していた。射程八〇〇メートルの日本の大砲は彼らに届かない。象山はオランダ語を読み、自分で工夫して日本で初めて西洋流の大砲を主君松代藩の藩主、真田幸貫《さなだゆきつら》のために造った人物だ。当時のわが国における砲術及び兵学の第一人者だった象山も、象山に学んだ松陰も、一目でこれでは戦争にならないと悟っている。

ペリーは開国を要求する米大統領の国書を幕府側に手渡して、翌年の再訪を告げて悠々と去った。そして翌、嘉永七（一八五四）年一月、ペリーは戻ってきた。九隻もの船が浦賀の港に許可なく入り、事もあろうにさらに深く横浜まで侵入し、前年手渡した開国の要求に答えよと迫った。松陰は横暴なアメリカ人に日本がどのように対応したかについて、記している。

「而るに軍艦・礮臺《ほうだい》一として成れるものなし。幕府専ら變を生ぜんことを懼《おそ》れ、寛《かん》縦《じゅう》もて夷《い》を待《たい》す、夷肆《ほしいまま》に不法の事を爲せども、官兵少しも禁訶《きんか》せず。人皆切齒《せっし》す。應接廠《おうせつしょう》を横濱に起す、構造甚だ粗なり」（『吉田松陰全集』大和書房第二巻四二頁）。

それなのに、わが国には未だに砲台を積みこんだ軍艦は一隻もない。砲台を船に積み込む技術の修得ができておらず、全て陸地に設置しているのみだ。幕府はただ変化を恐れ、アメリカ人を丁重にもてなし、その結果、無礼な外国人は不法な蛮行を重ねているが、幕府は少しも制止しない。人心は口惜しさで一杯だ。交渉の場は（本来浦賀であるべきだが）横浜まで来られてしまった。交渉の運びは欠陥が多く甚だまずい、といっている。

象山はこのような事態を想定して、実はそれより一〇年も前に主君の真田幸貫が幕府老中の地位にあったときに進言していた。それを松陰はこう書いている。

「船匠《せんしょう》・礮工《ほう》・舟師《しゅうし》・技士を海外より傭《やと》ひ、艦を造り礮を鑄《い》、水戦を操し礮陣を習はんこと論ず。謂《おも》へらく、然らずんば以て外夷を拒絶し國威を震耀《しんよう》するに足らずと」（同前、四四頁）

船大工、砲の技術者、水軍の猛者、技術の専門家を海外から雇い入れ、技術を教わりながら艦を建造し大砲を作り、海戦に勝利する戦法を習う必要がある。そうしなければ外敵を退け国威を立て直し再び輝かすことは出来ないという進言だ。しかし一〇年前の右の献策は受け入れられず、幕府は手立てを講じなかったと、松陰は憤っているのだ。

国家という自覚

象山が提起した日本国強軍化の具体策は全く顧みられないまま無為の一〇年がすぎて、ペリー再来を受けたわが国はまるでなす術がない。その様子を自らの目で確認した松陰はこのとき、新しいものを受け入れようとしない幕府に期待するのをやめて、自らが海外に行って学んでこようと思い定めた。この頃、松陰も象山もすでに自藩の立場や利害を超えて日本国全体、ネーションとしての未来を考えていたことがわかる。この自覚は松陰が書き残した「大義」から読み取れる。

「近時一種の憎むべきの俗論あり。云はく、江戸は幕府の地なれば御旗本及び御譜《ごふ》代《だい》・御家門《ごかもん》の諸藩こそ力を盡《つく》さるべし、國主の列藩は各〻其の本國を重んずべきことなれば、必ずしも力を江戸に盡さずして可なりと」

この頃以下のような軽蔑すべき俗論がある。江戸は幕府の領地であるから問題があれば将軍直属の家臣である旗本や、関ヶ原の戦い以前から徳川氏に仕えていた譜代大名や、徳川の血を引く越前や会津の藩が力を貸して当たるのが筋だ。だから各大名は自分の国元を大事にして必ずしも江戸に尽くさずともよいという。

こんな主張は天下の大義を知らない者の言い分だ、怪しからんと松陰は憤っている。日本国の内、どの藩の領地が外国の侮りを受けても幕府は日本全土の大名たちを率いて日本国に向けられた恥辱をそそぎ、天皇の御心を安んじ奉ることが大事だと言っている。もはや三百諸侯が並び立つバラバラの国ではなく、日本はひとつの国家だと説いている。

「日本は藩を超えた国家である」という自覚の中に、日本の国柄と中国の国柄の鮮やかな違いの認識もあった。嘉永六（一八五三）年九月一五日に、松陰は兄の杉梅太郎にあてた手紙で、「人より善を取るは神州の體、夷を以て夷を攻むるは中國の勢」と書き送っている。

中国の国柄は外国の力を借りて外国を討ち自国の安全を保つものだが、日本の国柄は外国がわが国より進んでいると思えば彼らに学び、祖国を高めることで安全を保つ国柄だと、鮮やかに見て取っている。

松陰はまさにそのような日本の国柄を踏まえて外国に行って学ぼうと考えた。しかし当時、海外に出ることは踏海《とうかい》、即ち密航として禁じられていた。そこで象山に相談した。

象山はジョン・万次郎のように漂流すればよいと回答した。土佐中浜村の漁師の子、万次郎は出漁中に遭難し、アメリカの船に救われ、アメリカで教育を受けること一〇年、一八五一（嘉永四）年に帰国した。国禁を犯した身だったが、ペリー来航で混乱する当時、英語を解し、米国事情もわかる万次郎を、幕府は重用せざるを得なかった。時代の変遷のなせる業である。象山は、だから、漂流なら万次郎のように許されて国のために働くことも出来ると助言したわけだ。命懸けで国禁を犯すにも、二人は現実を見て、法の穴を見つけて何とか合法的に事を成そうとした。ただの掟破りをする気はなかったのである。

やむにやまれぬ愛国

象山と松陰がこんな切迫した想いでいたとき、肝心の幕府は無為無策で時間を無駄にし続けた。そんな体たらくだったから、一年もしない嘉永七（一八五四）年一月にペリーが戻ってきたとき、先述のように何の準備もできていなかったのだ。羽田沖に迫ったペリーらはワシントン米大統領の誕生日の一月二五日（二月二二日）、祝砲と称して大砲一門毎に一六発の砲を打った。大音響は天地を震わせ、日本人はすっかり怯えた。強大な力の誇示の前に幕府は屈服し、三月三日（一八五四年三月三一日）、遂に日米和親条約が結ばれ、下田、箱館の二港が開かれた。

松陰の心は決まっていた。ペリーの船でアメリカに行くと。一歳下の金子重之助と共に彼は嘉永七年三月五日夜、横浜に向かった。警戒が厳しく中々艦に近づけない。

それでも二八日真夜中の二時頃、ようやく小船で漕ぎ出し、二人はペリーの船によじ登った。船上では日本語の分かる将校が対応して、「連れて行くわけにはいかない。間もなく日米間は自由に往来できるようになるからそれまで待つように」などと説得したが、松陰は頼み込む。国禁を犯して命懸けで来た、是非、連れて行ってほしいと。

しかし幕府と和親条約を結んだばかりの米国代表が日本の国法を侵して若者二人を密航させることはあり得ない。二人は彼らの小舟で岸に連れ戻された。

山口銀行が出版した『吉田松陰の思想と生涯　玖村敏雄先生講演録』で、玖村《くむら》氏が語っている。玖村氏は松陰の生涯を研究した人物だ。松陰と共に呼吸しながらその喜びや希望を分かち合っているかのように松陰の心の内を慈愛深く汲みとった解説は読む者の心を打ってやまない。この名著によると人気《ひとけ》のない海岸に戻された松陰らは逃げることも出来たはずだ。しかし、逃げることを卑怯と考えた松陰は村の名主を訪ねた。国禁を犯した、逮捕してくださいと、名主を介して役所に申し出た。朝申し出たのに役人は夕方近くまで来ない。犯罪人を自分の管内から出すことは下田の港の手配役の手落ちになる、早く逃げてくれという暗示であるのに、松陰らは逃げない。松陰の真っすぐな性格が良く表われている場面だ。

こうして捕らえられた松陰らは四月になって罪人として江戸に送られ、小伝馬町の獄につながれた。道中、江戸郊外の高輪の泉岳寺前を通った時、赤穂義士に歌を奉げた。

かくすればかくなるものと知りながら、已《や》むに已《や》まれぬ大和魂。

松陰はこう書いた。

「赤穂の諸士は主の爲めに仇を報じ、甘んじて都城《とじよう》弄兵《ろうへい》の典《おきて》を犯し、矩方《のりかた》(自分)は國の爲めに力を效《いた》し、甘んじて海外に闌出《らんしゅつ》するの典を犯す。而して一は成り一は敗る、智愚懸絶《ちぐけんぜつ》すと雖も其の意何を以てか異らんや」

赤穂義士は主君のために仇討ちをし、甘んじて、江戸で武器を用いて騒動を起こしてはならぬという掟を犯した。私は国の為に力を致し、甘んじて海外密航禁止の法を犯した。そしてひとつは成功し、もうひとつは失敗した。賢いやり方、愚かなやり方の違いがあるとはいえ、真心において何ら異なるものはない。

そして松陰は言うのだ。「蓋《けだ》し(正しく)武士の道は此《ここ》に在り」と。「世人が百啄《ひやくたく》の誹謗《ひぼう》、吾れに於て何ぞ傷《いた》まんや」と。

私のしたことは正しく、武士道である。世の中の人々が無数の鳥が物をついばむように口うるさく私を誹謗しても、私の心は何ら痛むことはない。

やむにやまれぬ愛国の誠から生まれた行動だと言って、松陰は胸を張っている。己《おの》れのすべきことの前で逡巡はしない。非難されても構わない。やり遂げること、取りかかっていくことが大事だと心に決めている。もっと上手なやり方はあるのであろうが、純粋な心は上手なやり方ではおさまらない。というより、上手なやり方のあろうことも考えない。松陰の純心が私の心を打ってやまない。

松陰の春夏秋冬

野山獄で年五〇〇冊

江戸小伝馬町の牢で数カ月を過ごした松陰らに九月一八日、判決が下された。死罪を覚悟していた松陰は、幕府の判決は大層寛容だったと受けとめている。それは故郷の父親の下で蟄居《ちっきょ》せよとの命令だった。こうして松陰は彼を大切に愛で育ててくれた父の下に戻るはずだった。が、故郷に辿り着くと、長州藩は彼を野山獄に入れてしまった。

野山獄というのは、野山という姓の武士の屋敷を牢にしたものだ。牢とはいえ、各部屋は障子や襖で仕切られているだけで自由に行き来できる。囚人といっても罪を犯した人々ではなく、周囲と折り合いのよくない変人たちが家族や親族に疎まれていわば軟禁されている所だ。

松陰の父、杉百合之助《すぎゆりのすけ》は「百人中間頭《ちゅうげんがしら》兼盗賊改方《とうぞくあらためかた》」、いわば萩の警察署長だ。その坊ちゃんが二四歳の若さで獄に入ってきた。当然注目されるが、ここからの松陰の行動が凄い。松陰は獄に投じられることを少しも恥じていない。へこたれてもいない。むしろ颯爽としている。獄で一体何をすべきかと松陰は考えるのだが、その心を描いた面白い文章がある。

ざっと言えば、自分は天保元（一八三〇）年にご城下の萩、松本村に生まれた。杉家に生まれ、長じて吉田家を嗣いだ。下田踏海の件で牢に入れられた。そこで見た夢の中に神のような人が現れ、私に一枚の名刺を示した。そこには私のことを二十一回猛士と書いてあった。その時点でハッと目が醒めた。

杉の字には十、八、彡（三）の合計として二十一の象《かた》（形）がある。吉田の吉には十と一があり、田の中は十の文字、足すと二十一だ。その上、吉には口の文字があり、田から十を除けばこれまた口となる。これを合わせれば回となり、私は二十一回猛士なのだ。

そう私の名は寅次郎だ。寅は虎である。虎の優れた資質は猛なることだ。だが、私は身分は低く、体は弱い。虎を自分の師と思い定めて精進することなしには士《サムライ》たることもできない。

これまで私が士らしきことを成したのは下田踏海を入れて三度しかない。勇気ある強き者として猛の働きを、あと十八回はしなければならない。その責任は非常に重い。だが、神の目には私が日々微力となり二十一回の猛を遂げられないと考えて、神が天意として私の心を啓発なさったのだ。ならば獄に落ちたのを好機に、私の志と気を養うのが万止むを得ない正しい道だ。

寅次郎なる松陰はこのような心改まる想いで獄における生活目標を立てた。それは猛烈に書を読んで学ぶことだった。志と気を養うために神から与えられた時間であるなら、ひたすら読んで学ぼう。決意した松陰はひと月に大体四〇冊、年間で約五〇〇冊もの書を読んでいる。

当時の書物は頁も少なく、字も大きい。だが殆どが漢文である。全て簡潔に書かれているために、文章は短いが内容が濃密で豊富だという玖村氏の指摘は、松陰の学びの奥深いことに気付かせてくれる。松陰の心には大いなる学びと志確立への憧れと喜びこそあれ、獄に下ったことへの失望は微塵もない。

司馬遼太郎は『吉田松陰全集』の発刊に当たっての対談「吉田松陰を語る」で、

「こんな純粋で純真な人がいたかと驚いたわけです」と語っている。松陰を「思想家の中ではもっとも根源的な存在じゃないか。思想家以外にはなりようがない人だと感じます」とも述べている。

今に生きる「獄舎問答」

純真で純粋な人は俗世の誹謗中傷などには傷つかない。はるか高い次元にある人に、低次元の非難は届かない。安倍総理も同じだった。こうして松陰は野山獄での日々、読書と学びに没頭した。玖村氏は松陰の読書の作法を次のように描いている。

「感激すると涙をふるって読む、腹が立つときにはまなじりをあげ激越な調子で読む、嬉しいときは声をはずませ膝を打って読むというのです。『この楽しみ他に比すべきものあるを覚えず』というのですから、自分で朗々とあるいは惻々《そくそく》と声に出して読むことがとても楽しかったらしい」

松陰の読書の声は障子や襖を突き抜けて野山獄全体に響きわたったことだろう。そこに囚われている人々は元々皆武士であり教養ある人達だった。教養ある人々が皆、松陰の読書の声に耳を傾け、感じ入り、学び始めた。そこから一種の座談会が生まれた。松陰はこれを「獄舎問答」として書き残した。これがまた、非常に面白い。現在わが国が中国の大きな脅威に直面して国の在り方を根本的に変えなければならないというときに、それが出来ていない日本の現状を語っているかのような問答がある。

ある人が問うた。

「方今《ほうこん》（現在）東に米利堅《メリケン》あり、西に魯西亞《ロシア》あり、其の他各國の夷人本邦を窺伺《きし》する者甚だ多し。勢將《せいまさ》に大變亂あらんとす。其の變亂を發する、遠近の數、略《ほ》ぼ前知すべきか。願はくは子が說を聞かん」

現在、わが国の東にはアメリカ、西にはロシアがいる。その他にも諸国の夷敵がわが国を窺い狙っている。その勢力の強さはまさに大変乱を起こす。大乱を起こすきっかけとなる外敵の数は如何ほどか。予測できるのか。お考えを聞きたいと、と問うた。

松陰が答えて言った。

「太平尙ほ久しかるべし。悲しいかな。悲しいかな」

太平の世は尚、久しく続くだろう。悲しいことだ、悲しいことだと。

するとある人は反論した。

先生は常に外敵がわが国を窺う現状を国家の危機だと仰る。にもかかわらず、現在、太平の世が長く続くだろうと仰るのは何故か。もし、太平が続くのであれば、なぜ悲しむべきなのか。先生は私を子供のように見做して遊んでいるのか、と。

松陰は答えた。

「凡そ兩智相遇《あ》ひ兩勇相對する、必ず戰鬪を起す、古來の跡歷々《れきれき》見るべし。近來米利堅《メリケン》・魯西亞《ロシア》の豺狼《さいろう》等、無禮を以て我が國に向ひ要求する所あり。理《ことわり》宜しく國家の大典を明かにし、其の侮慢《ぶまん》の罪を正すべし」

知恵も勇気もある二つの勢力がまみえるとき、必ず戦争が起きる。古来の歴史を見ればはっきりしたことだ。近来、アメリカ、ロシアのような猛悪な国々がわが国に無礼な要求を突きつける。道理を説いて日本国の国柄を明らかにし、彼らの侮りと傲岸不遜を正すべきである。

にもかかわらず、日本国の現状は情けないとして、こう続けている。

「今乃《すなわ》ち國體を顧みず、頭を低《た》れ膝を屈し承奉《しょうほう》の及ばざらんことを恐る。其の愚極まり、其の怯《きょう》極まれり。米利堅・魯西亞等固《もと》より智勇に非ずと雖も、吾が國の愚怯《ぐきょう》の極なるものに比せば甚だ勝《まさ》れりとす。故に彼れの吾れを視るは豺狼の猫鼠《びょうそ》を視る如し。吾れ未だ豺狼の猫鼠と鬪ふものを見ず。癸丑《きちゅう》・甲寅《こういん》の兵端《へいたん》に及ばざる所以なり」

現在、わが国は国柄を考えることもせず、外国人に頭を下げ膝を屈してわが国の道理が通じないと恐れている。究極の愚かさであり意気地のなさである。アメリカ、ロシアなどは元来知に優れ勇気ある国とは思わないがわが国に較べれば彼らの方がまだましである。このようなことであるから、彼らは山犬や狼が猫やネズミを見るような目で我々を見る。私はこれまで猫やネズミが山犬や狼と戦ったのを見たことがない。嘉永六年とその翌年にアメリカ、ロシアが軍艦でやってきて開国を要求したときに戦火を交えなかったのはこういう次第だ。

日本は戦わないがゆえに、太平の世はこれからも続く、と松陰は悲しんでいるのだ。これこそ現代日本の姿ではないのか。中国がいくら尖閣周辺の領海に侵入しても、松野博一官房長官は丸い顔で「厳重に抗議しました」と書いた紙を読み上げるだけである。林芳正外相は豊かな食生活を反映した二重アゴで「遺憾に思う」と言うだけである。こうして一見平和な状況を保っているわが国の現状と、幕末の「太平」の様は、薄皮一枚の平和と安穏に浸っているという意味で似通っている。松陰はその上、こうも語っている。

「豺狼野心ありと雖も、初めの程は恭順にして我が國法にも従ふべし、夫れより漸《ぜん》を以て民心を煽惑《せんわく》し、又國力の強弱を審《つまびら》かにし、然る後初めて其の固有の野心を逞《たくま》しくすべし。但《た》だ其の事漸《ぜん》を以てする故に、彼の愚怯《ぐきよう》の徒、何ぞ其の萌芽《ほうが》を知りて果決の策を行ふことを得んや」

山犬も狼も野心はあっても、最初は大人しく日本国の法律に従う。ゆっくりと民心を惑わせ、やがて国力の違いを見せつけ、軍事力を誇示しその後初めて野心を剥き出しにする。ただ、彼らは企みをゆっくりと進めるために、わが国政府の愚かで意気地のない人々は、外敵の侵略の兆しを敏感に察知することはできない。断固たる対策をとることなど、出来ようはずもない。

松陰は中国の得意とするサラミ戦術を一六〇年以上も前に鋭く言い当てていた。こういう問答を幾十回も重ねたのが獄舎問答だった。誰でも自由に議論し、論を闘わせるのに制限はない。松陰も門下生も議論しては考え、考えては成長して思考を深めていった。

松下村塾には武士も足軽も

野山獄で一年二カ月が過ぎ、松陰は安政二（一八五五）年一二月一五日、父百合之助宅に戻され、三畳の間に蟄居する身となった。一歩も外に出られない松陰のために野山獄で行っていたような勉強会を続けてやろうという配慮で、父、兄、伯父がこの部屋に集い松陰と共に書を読み、松陰の教えを受け始めた。松陰の家族のすばらしいところである。松陰の日々が退屈でないように、松陰が少しでも気を養うことができるように、父と兄と伯父が松陰の弟子になるのである。家族は心から松陰を信頼し、愛し、大切にした。松陰の心の素直さと純真さは、どんなときにも松陰を信頼し、十分に愛を注いだこの家庭で育まれたものであろう。

安倍総理も天性の朗らかさと素直さを持った人だった。幼い頃から大切に、溢れる愛を注がれて育ったからであろう。甘やかされて詰まらない我が儘者にならなかったのは、大いに勉強したからであろう。祖父岸信介の安保改定にかけた命懸けの戦いを自然と教わったからであろう。そんな安倍総理をお母様の洋子さん、奥様の昭恵さんはいつもどんな時でも支えてこられた。朝日新聞などに余りに酷く非難されるときも、ご家族はいつも必ず安倍総理を信じていたはずだ。

松陰先生とその家族、安倍総理とご家族の在り方もまた、重なって見える。

そうこうしている内に松陰の下に親戚の少年たちが集い始めた。安政三年秋頃には門弟もふえた。松下村塾の誕生である。長州藩が松陰の言論を過激だ、危険思想だとして閉鎖を命じるまで、松下村塾は二年三カ月続いた。

塾生の顔ぶれが松陰の進取の気性を存分に物語っている。親戚以外の塾生で一番先に入門したのは医者の子の増野徳民《ましのとくみん》、二番目が隣家の足軽の子、吉田栄太郎、三番目が魚屋の子の松浦亀太郎だった。医者と足軽と魚屋、松下村塾の最初の塾生三人は士分ではなく平民だった。

ちなみに松陰門下の四天王といわれた久坂玄瑞《くさかげんずい》、高杉晋作、吉田栄太郎、入江杉蔵のうち、吉田は先述のように足軽であり、入江も同様だった。四天王と称される人物の半分が足軽の身分だ。なんと鮮烈なことか。

身分に縛られずに人間を見たのが松陰だったが、状況を逆から見ると、松下村塾に入門した人々の志も高く堅かった。松陰は幕府に逆らって国禁を破った犯罪者である。どれほど学問に秀でていようと、どれほど偉大であろうと、罪人である。罪人の門下生となり学ぼうというのは、普通の出世を望む人には出来ないだろう。それでも彼らは松陰の門を叩いた。そして生涯、松陰の教えを実践し、行動で証明した。

武士も足軽も商人も共に学んだ松下村塾に高杉晋作がいた。彼は過去の遺物にとらわれず、未来を見つめて澄んだ目で人物を見るという松陰の姿勢を正しく受け継いだ。そして奇兵隊を作った。奇兵隊は武士だけで編成する部隊ではなく、民百姓、すべての階級から見込みのある者を選りすぐって編成した部隊である。

人を身分で判じることなく人物を見る。この精神は明治五（一八七二）年に日本国が初めて徴兵制を敷いたとき、国の制度に反映されることになる。長州は平民も国防に従事すべきだと言い、他方薩摩は軍隊は武士でなければ務まらない、百姓や町人に務まるものかと主張した。意見の対立する中で、松陰門下生の一人だった山縣有朋は、高杉晋作の奇兵隊を念頭に、長州では平民の果敢さと力量は立証済みだと言って、論争に決着をつけた。こうして平民も兵として同等に取り立てることになった。

収穫の時

松陰を過激な革命家のように見る人々もいるがそれは全く当たらない。彼は外圧をどう防ぐかを考える中で、当初は幕府の力で日本を改革しようと考えた人物だ。つまり、開国論者ではあったが、佐幕（幕府を佐《たす》ける）の立場だった。それが明確な討幕論に変わるのは安政五（一八五八）年四月二三日、井伊直弼が大老に就任し、二カ月もしない六月一九日に日米修好通商条約を天皇の勅許なしに結んだときだ。このとき松陰は二七歳である。

この頃には松陰の憂国の情はますます高まり、文章は次第に過激になっていた。井伊に対して「彦根（彦根城からきた井伊直弼は）頗《すこぶ》る邪議に與《くみ》すれば、則ち幕府の之れを使ふこと固《もと》より當れり」と書いている。

井伊は邪《よこし》まな議論に与する人物なので幕府が彼を登用することは当然、幕府の意に適うことだと言っている。幕府は終始、偽りで天皇に対しているが、偽りが誠に勝つことはないのだとも喝破している。

こうして松陰は安政六（一八五九）年六月、再び江戸に送られ、尋問を受ける。今回は死罪になると予知した松陰は一〇月二五日、留魂録を書き始めた。残される人々、家族、師、志を同じくする人々、自分についてきてくれた人々、全ての人々に向けて自分の展開した考えを書き残した。尋問の様子も書き、その不当なることも明らかにした。しかし、全体を見れば非常に落ち着いた内容だ。一切の心残りも感じさせない。魂から迸る愛と慈愛。日本国、師、同僚、門下生、家族への想い。こうした全てを松陰は翌二六日夕暮に書き終えている。

写真で見る実物には「留魂録」と濃い墨色で書かれている。意志の強さを示すしっかりと画どりした字である。

次に続くのが辞世の和歌だ。

「身はたとひ　武藏の野邊に　朽ちぬとも　留め置かまし　大和魂」

十月二五日と日付があって、二十一回猛士と署名している。

余りにも有名なこの和歌で始まる留魂録に松陰は書いている。

「天　苟《いやしく》も吾が區々《くく》の悃誠《こんせい》を諒《ゆる》し給はば、幕吏必ず吾が説を是《ぜ》とせんと志を立てたれども、蚊蝱山を負ふの喩、終に事をなすこと能はず、今日に至る、亦吾が徳の菲薄なるによれば、今將《は》た誰れをか尤《とが》め且《か》つ怨まんや」

もし天が私の取るに足らない真心をお認め下さるのであれば、幕府の官吏は必ず私の志を理解し是としてくれるはずだと志を立てた。しかし荘子の教えに出てくる危険で困難な課題のたとえどおり、遂に私の願いは受け入れられず、今日の結果となった。すべて私の徳の至らなさゆえであり、誰かを恨んだりとがめたりする筋合いのことではない。

松陰は自ら信ずるところを意を尽して述べれば、幕府官吏を説得できると思っていた。自分の考えに曇りはなく純粋に国の為を思ってのことであるために分かってもらえないはずはないと、信じていた。

松陰は、自分は今回のことでは、はじめから〝生きのびたい〟とは思っていなかった。しかしはじめから死にたいとも思っていなかった。ただ自分の〝誠〟が、世の中に通じるのか、通じないのか、その一点だけを、天のご意思にゆだねようと思った、と書いている。

死を前にしての心情はこう述べている。

「今日死を決するの安心は四時《しいじ》の順環に於て得る所あり。蓋《けだ》し彼の禾稼《かか》を見るに、春種し、夏苗し、秋苅り、冬藏す。秋冬に至れば人皆其の歳功の成るを悦び、酒を造り醴《れい》を爲《つく》り、村野歡聲あり。未《いま》だ曾《かつ》て西成に臨《のぞ》んで歳功の終るを哀しむものを聞かず」

今、私は死を前にしても、とてもおだやかで安らかな気持ちでいます。それは、春・夏・秋・冬という四季の順環について考えて、こういうことを悟ったからです。穀物は春に種を蒔き、夏に苗を植え、秋に苅り入れ冬に蔵にしまいます。秋冬には人は皆、豊かな収穫を喜び甘酒を造ります。村は歓びの声に満ち、秋になって農作物の収穫の終わりを哀しむ人はいません。

そしてこう続けている。

私は今、三十歳です。何一つ成功させることができないまま、三十歳で死んでいきます。人から見れば、それは、たとえば稲が、稲穂が出るまえに死んだり、稲穂が実るまえに死んだりすることに、よく似ているかもしれません。そうであれば、それは、たしかに〝惜しいこと〟でしょう。

しかし私自身、私の人生は、これはこれで一つの〝収穫の時〟をむかえたのではないか、と思っています。どうして、その〝収穫の時〟を悲しむ必要があるでしょう。

そもそも人の命にはあらかじめ定った寿命というものはないのであり、稲のように四季を経て実るというものでもないとして、こう書いた。

「十歳にして死する者は十歳中自ら四時あり。二十は自ら二十の四時あり。三十は自ら三十の四時あり。五十、百は自ら五十、百の四時あり」

十歳で死んでいく人には、その十歳の中に春夏秋冬の四季があります。二十歳で死んでいく人にはその二十歳の中に春夏秋冬の四季があります。三十歳で死んでいく人にはその三十歳の中に春夏秋冬の四季があります。五十歳で死んでいく人にはその五十歳の中に、百歳で死んでいく人にはその百歳の中にまた春夏秋冬の四季があるのです。

「若《も》し同志の士其の微衷を憐み繼紹《けいしょう》の人あらば、乃《すなわ》ち後來の種子未だ絶えず、自ら禾稼《かか》の有年《ゆうねん》に恥ぢざるなり。同志其れ是れを考思せよ」

各々の年齢で終わっていくさまざまな人生がある中で、松陰は自分の人生もひとつの収穫の時を迎えて終わると書いた上で、言い残したのだ。もし同志の人々の中で、私のささやかな誠の心をあわれと思い、私の誠の心を受け継ごうと思ってくれる人がいれば幸いです。それは一粒のモミが次の春の種モミになるように続いていくということです。私の生み出した穀物がよく実り豊かであるという誇らしいことです。志を同じくする皆さん、このことを考えて下さい。

松陰の満足しきった心が伝わってくる。死に直面してこの穏やかさで澄みきった心、同志の人々への信頼と希望で満たされたその魂こそ、まぶしいほど貴いと思う。

奇跡のような実話

『新訳　留魂録　吉田松陰の死生観』（PHP研究所）の編訳者で皇学館大学文学部教授（出版当時）、松浦光修氏が、留魂録にまつわる奇跡のような実話を紹介している。松陰が如何に敬愛されていたかを物語る実話である。その逸話は、安倍総理が驚くほど多くの人々から敬愛されている事実に通ずると、私には思えるために、ここに松浦氏の著書から引用する。

明治九（一八七六）年の或《あ》る日、神奈川の今でいう副知事の地位にあった野村靖をみすぼらしい老人が訪ねてきて言った。

〈「私は昔、長州藩の名高い武士・吉田《よしだ》松陰《しょういん》先生と、同じ獄舎に入れられていたことのある沼崎吉五郎《ぬまざききちごろう》と申す者でございます。松陰先生が処刑される前の日の話ですが、先生はこの冊子をおつくりになって、私に向かって、こういうことをおっしゃいました。

『私は、すでにこれと同じ冊子を、私の故郷の長州に送っています。けれども、もしかしたら、どこかで滞り、届かないことがあるかもしれません。そこで私は、同じ冊子を、もう一つつくりました。これを、あなたに託します。

明日、私は処刑されますが、あなたは、いつの日か、獄舎を出る日がくるでしょう。ですから、その日まで、これを持っていてください。そして獄舎を出て、自由の身になったら、長州藩の人間なら誰でもかまいません。これを渡してください。長州藩の人間なら、みんな私のことを知っていると思いますから……』

そのあと、私は三宅島に島流しになったのですが、近ごろ、ようやく赦《ゆる》されて、島から帰ってきました。そして、たまたま、あなたが長州藩出身のお方だとお聞きしましたので、私は今日、この冊子を、あなたにお届けするためにやってきたのです」〉

この時、松陰が処刑されて一七年が経過していた。

靖は沼崎に言った——実は私は松陰先生の門人でしたと。沼崎は歓喜し、さらに松陰が門人たちに別れの言葉を書いた手紙など他にもいくつか取り出し、すべて靖に託して風のように去ったという。沼崎という人物がどのような理由で松陰と同じ獄にいたのか、なぜ島流しになったのかもわからない。その後の沼崎のことを知る人もいない。ただ、ひとつ明らかなのは沼崎は明らかに松陰を心の底から尊敬し、大事に想っていたということだ。松陰に誠を尽くすことが沼崎の人生の大事な目的だったのではないか。だから松陰と今生の別れをしてから一七年間、島流しという過酷な状況にあっても留魂録の一枚も破損することなく、一字も汚すことなく大切に守り通した。薄い半紙一四枚に書かれた留魂録の全てをきれいな形で約束通り長州藩の人間に届けてくれた。

他方、もう一通の留魂録は長州に届いていたが、維新の戦乱の中、いつの間にか行方がわからなくなっていた。従って沼崎の忠誠なしには留魂録の全容を、今日、私たちが知ることは叶わなかったかもしれないのだ。

松陰に対する人々のこのあたたかく永続する想いは、安倍総理に対する無数の国民の、同じようにあたたかい敬愛の情と同じだと思えてならない。安倍総理が命を奪われたとき、日本全国津々浦々、多くの人々が悲しみに沈み哀悼を捧げた。安倍総理国葬の日には献花のための、見たこともない長蛇の列が出現した。何時間も何時間も人々は並んで献花した。亡くなって一年になろうとするのに人々の悲しみの涙はまだ涸れない。安倍総理写真展を訪れる人々の列も絶えない。安倍総理の志を継ぐと誓った人々の心も少しも変わらない。安倍総理はこれほど多くの人々に愛されている。大切に思われている。尊敬されている。沼崎の松陰に対する敬愛の情の深さは、数え切れない内外の人々の安倍総理に対する限りなく深い愛慕と重なる。

日本を取り戻す

日本の誇る国是

橋本左内も処刑された。松陰も処刑された。安政の大獄で捕らわれた人々は一〇〇人を下らない。貴重な輝くような人材を不当に刑に処した井伊直弼は左内、松陰の死から約五カ月後、安政七（一八六〇）年三月、桜田門外で殺害された。残された人々は各々の立場で開国を迫る外国勢の前で日本国の独立を損うまいと闘った。幕末の日本は徳川の二〇〇年余りにわたる鎖国政策で海外情勢に疎かった。鎖国の間一度も戦争をせずに太平の世を維持するという稀なる幸せの結果、軍事力が不十分だった。産業革命を経ていない為に手工業で支える経済は貧弱だった。

日本国内に限ってみれば優しさに満ちた雅びな社会だった。倫理観の非常に高い高貴な国だった。だが、それだけでは日本国は強い軍事力を有した強欲な米欧列強に呑みこまれてしまう。

明治新政府は富国強兵の政策を掲げ、米欧に侮られない近代国家を築き始めた。そのとき、国の形をどうするのか、議会を開き選挙制度を整えるにしても、国の根本をどう規定するのかが重要問題となった。

先人達はえらかった。明治新政府誕生のその時に「五箇条の御誓文」を発布したのである。日本の誇る国是であるが、それについても先人達は多くの議論を闘わせた。

原案は熊本藩の藩士、横井小楠の影響をうけた越前藩の由利公正と土佐藩の福岡孝弟《たかちか》が書いた。原案に色濃く反映されていたのは欧州諸国が掲げていた国家の在り方に対する考えである。一言でいえば「諸侯会盟」といわれる考え方だ。つまり、日本国の政治は天皇と諸侯が合意し、誓い合って行うというものだ。

そのような考え方に異を唱えたのが、松陰の門下生、木戸孝允《きどたかよし》（桂小五郎）だった。わが国の国柄に基づけば天皇と諸侯が同じ立場で合意したり誓い合ったりするのでは宜しくない。まず天皇が神々に誓う、諸侯はその誓いに従うのがわが国の国柄だと具申した。こうした議論の末に五箇条の御誓文が定められた。短いものなので全文を引用する。短く覚えやすい。覚えてしまえば日本の国柄が自然に理解できる。

五箇条の御誓文

一、広く会議を興し、万機公論《ばんきこうろん》に決すべし。

一、上下心を一にして、盛に経綸《けいりん》を行ふべし。
一、官武一途庶民《かんぶいっとしょみん》に至る迄、各其 志《おのおのそのこころざし》 を遂げ、人心をして倦《うま》ざらしめん事を要す。
一、旧来の陋習《ろうしゅう》を破り、天地の公道に基くべし。
一、智識を世界に求め、大に皇基を振起すべし。
我国未曾有《わがくにみぞう》の変革を為《なさ》んとし、朕躬《ちんみ》を以て衆に先んじ、天地神明に誓ひ、大に斯国《このこく》是《ぜ》を定め、万民保全《ばんみんほぜん》の道を立んとす。衆亦此旨趣《しゅうまたこのししゅ》に基《もとづ》き協心努力《きょうしんどりょく》せよ。

解説は不要かもしれないが、以下のような内容だ。
一、問題があれば広く会議を開いて、全ての問題を皆で議論して決めなさい。つまり、中国やロシアのように権力者が独裁的に決めてはならない。
一、身分の上下を超えて皆が心をひとつにして、大いに政治・経済を論じなさい。その議論の上に決めなさい。
この最初の二つのことは民主主義そのものである。
一、政治を行う人も軍人として国を守る人も、さらに広く庶民に至るまで、一人一人自分の志を遂げて、一人として政治に絶望する人を出してはならない。

一、古くなって役に立たなくなった習わしや決まりは捨てなさい。天地のどこにでも、つまり国際社会にあまねく通用する普遍的な価値観に基づいて決めなさい。
一、日本に閉じこもってはならない。世界には優れた制度、考え方など沢山あるのであるから、知識を広い世界に求めよ。

ここまで五箇条を説いて、その五箇条の最後でいっている。皇室を基本としたわが国の国柄を大いに盛り立てるべし、と。日本国の日本国たるゆえんは皇室を中心として築いてきた歴史にあるのであるから、と。

天皇陛下はこの御誓文についての決意を次のように語っておられる。

「わが国が初めて大変革を成し遂げようとしている今、私自身が国民に先立って、天地神明に誓ってこの国是を定め、全ての国民が安んじて暮らせる道を確立しようと思う。国民もこの考えを理解して共に心を合わせて努力しなさい」

これが明治元（一八六八）年三月一四日、明治新政府発足に合わせて発布されたわが国の国是である。わが国の国体、国柄の真髄である。

「取り戻そう」

ちなみに五箇条の御誓文の精神はこのときにうまれたものではない。それより一二六四年も前に聖徳太子が打ち立てた「十七条憲法」の精神を受け継いでいる。十七条憲法の第十七条には「夫《そ》れ事は独り断《さだ》むべからず、必ず衆《もろもろ》と論《あげつら》ふべし。少《いささけ》き事は是軽《かろ》し、必ずしも衆とすべからず。唯《ただ》大きなる事を論ふに逮《およ》びては、若《けだ》し失《あやまち》有らむか。故、衆と相弁《あいわきま》ふるときには、辞《ことすなわ》則ち理《ことわり》を得む」と書かれている。

独りで決めてはいけません。必ず人々と論じなさい。小さなことは必ずしも人々と論じなくてもよいでしょう。ただ、大きな大事なことを論ずるときに誤りがあってはいけません。人々と話し合うときにはその主張はきちんとスジの通るお話にしなさい、というのだ。

民の声に耳を傾けよという精神は七世紀初頭のはるか昔から日本国の基本的価値観として守られてきたのだ。太古の昔から日本国は基本的に民主主義国なのである。昭和二〇（一九四五）年にＧＨＱから教えられたものなどではないのである。これこそ私たちが胸を張って誇ってよい国柄である。

こうした誇りをなぜ、私たちは喪ってしまったのか。安倍総理が取り戻そうと言ったのは、実はこのような意識であり、事実の認識だった。安倍総理ははるか遠い先人達の想いを共有できていたからこそ、「取り戻そう」と言ったのであろう。

五箇条の御誓文は定めたが、新生日本の課題はまだ多い。もっとはっきりした国の形、それを定義するものを生み出さなければならない。

このように近代国家の法整備にまだ手がまわらない明治のごく初期、朝鮮の開国を要求する征韓論が起きた。太政大臣代理、岩倉具視《ともみ》が明治天皇に反対の上奏を行い、これを中止すると、西郷隆盛が下野した。西郷はやがて明治一〇（一八七七）年の西南の役で自刃して果てる。西郷南洲の悲劇は今も尚、日本人の心を揺さぶってやまない。

西郷と共に下野した板垣退助、後藤象二郎らは明治七年、民撰議院設立建白書を提出した。その基本精神は「五箇条の御誓文」の精神を実現せよと迫るものだった。『明治憲法の真実』（致知出版社）を著した伊藤哲夫氏は先の建白書でいう民権とは「あくまでも君権（天皇）に対するものではなく、官権（政府）に対してのものだった」と指摘する。つまりその反応は薩長を中心とする一部の政治家への反発だったとの指摘は、国造りにいそしんだ先人達は明治天皇が発布なさった五箇条の御誓文の精神を共有していたとの指摘でもある。

民権運動の高まりの中で、政府は国会の開設と憲法の制定を約し、憲法の草案作りが始まった。明治憲法起草の立役者の一人が法制官僚の井上毅だった。フランスに留学し西洋の法学を学んだ彼は当時のわが国を代表する法制官僚だった。

井上が当初憲法起草に当たって注目した考えは君主専制に対して君権を制限するというフランスや西欧の発想だった。当時、もう一方に日本古来の十七条憲法などを重視すべきだという意見があったが、井上はそのような日本古来の考えを近代国家である日本国の基本、憲法に取り入れることはできない、そんなことをすれば「仏国のような大変革（国王家をギロチン台で処刑したフランス革命）が発生するやもしれない」と語っていた（『明治憲法の真実』）。

日本よりもはるかに進んでいると思われる西欧に学ぼうとしていたのであり、それはある意味、当然だった。しかし、興味深いことに井上のこのような考え方は後述するように徐々に変化していったのだ。

そうした中、太政大臣代理の岩倉は伊藤博文をドイツに派遣した。わが国は一体、憲法という国家の基本法をどのように作成すればよいのか、西欧はどんな考え方なのか、学んで来るようにという命令である。明治一五年（一八八二）年のことだった。

伊藤はドイツ皇帝ウィルヘルム一世に拝謁し、プロシアを代表する著名な法学者グナイストに学んだ。それでも日本国の憲法をどのような価値観に基づいて起草すべきなのか答えを見出し得ずに苦悶の日々を過ごした。三カ月後、伊藤はオーストリアに行きシュタインという学者に会った。シュタイン博士は憲法のひとつひとつの条文ではなく、憲法を社会学的に政治学的に広く見て哲学的基盤について語った。また、欧州における憲法論が君主と諸侯の合意を基とする社会誓約論的な考え方から、歴史法学的な考え方へと主流が移りつつあることを学んだ。日本国にあてはめれば十七条憲法や五箇条の御誓文の精神、古事記、日本書紀が伝える国造りの物語が示している日本国の価値観を大事にするような潮流が西欧に生まれていたというのだ。

シュタインの自宅で三カ月間、講義を受けた伊藤は岩倉公への報告の手紙に書いた。「心私《ひそか》に死処を得るの心地」になった、と。重要な国家事業、国家の基本法を定める目途がようやくついたという安心感が伝わってくる。

井上毅、走る

さて、井上毅である。この間、井上も猛烈に学んでいた。彼は自分がフランスや欧州の勉強をして彼らの哲学や法を理解している点については人後に落ちないと自負していたが、日本国の深く長い歴史についての学びが大いに足りないことを自覚していた。そこで日本の歴史を改めて辿ったのである。国造り神話、古事記、日本書紀は無論、でき得る限り、日本国の本質、国柄を学ぼうとした。

伊藤の帰国を受けて起草への研究が本格化する中で、井上の助手をつとめた池辺義《よし》象《かた》が書いている。彼は明治一九（一八八六）年夏東京大学古典講習科を卒業して、井上の下で働いた。

「（先生は）朝はまだほのくらきより起きいでて、夜は更《ふけ》るまでこの事にのみかかづらひたまひき。その任用したまふ人おほき中にも、おのれには我国の典故を悉《ことごとく》取調べさせたまへり。さればおのれは、官省時間の外は先生の家にのみ籠《こも》り居《おり》、常にその監督の下にありて、その料をかきつづりしことといくばくなりしぞ」

井上がわが国の古典を徹底的に学ぼうとしていたことがわかる。その目的のために池辺は井上宅にこもって調べ物を続けたと言っているのだ。池辺は梧陰文庫研究会編の『明治国家形成と井上毅』（木鐸社）に井上の日本国の象《かたち》を究めたいと執念を燃やす姿を書き残している。私はこの場面を読んだとき、井上はここまで脇目もふらずに努力した、真剣だった、命懸けだったたと実感し、胸うち震える感動を覚えた。

明治一九年冬、井上は池辺を伴って安房、上総、相模へ思索の旅に出た。鹿野山に登るのだが、車で登るのは困難なので徒歩で進んだ。先生（井上）は右の手に杖、左の手に読むべき書類を固く握っている。吹きおろす風は冷たく手はかじかむ。そこで書類を鞄におさめたところで、私（池辺）は大国主神《おおくにぬしのかみ》の国譲《くにゆずり》の故事に「シラス」と

「ウシハク」という言葉が出てくることを語ったというのだ。すると先生は仰った。

「そはいともいとも貴きことなりとて、欧洲各国建国のこと、さては支那《しな》立国の本などとくらへかたらひ、かへりなは直に取調へよと」

それは非常に大事なことだ、欧州や中国の建国について書いた本などと較べて直ぐに調べよ。帰ったならば、直ぐに調査して報告せよと仰った。

山頂の宿屋に着いたときはすでに夕暮れで霙《みぞれ》となり、とても寒かった。痩せたお体は大丈夫か、一息ついていただこうと思うのに先生は洋服を着換えもせず、火鉢を抱いて宿の主を呼び、硯を持ってこさせて書き始めた。

その日の道中で私が申し上げたことをまとめていらっしゃるのだ。そして、大宝律令にはこの件はどう書かれているかとお尋ねになる。私は記憶が定かでないので、間違うといけないと思い、帰京して調べるまでお待ちくださいと申し上げた。するとこれは大変重要な論点だ、旅をいま打ち切って帰京しようと仰る。雪も風も強まって吹雪の中であるから、車も出せない。先生はならば藤沢まで走ろうと仰って、畔道《あぜみち》伝いに出立なさった。その様子を池辺はこう描写した。

「例の杖を肩にして、たゝ走りにはしりたまふに、おのれもまけしと走る、雪はいよく降りまさりて、目鼻にみたれいり、顔は針もてさゝるやうなるに、遙《はるか》に旅人の一行見ゆ、かの連おひこさはやとて、わさと溝をこえ川をわたりて近道をすゝむ」

骨が浮いているような痩躯《そうく》の井上が杖を頼りに走りに走った。池辺もまけじと走った。雪は目にも鼻にも入り、冷たい風は針のように顔につき刺さる。遠くに旅人の一行が見えてきたとき、先生はあの人たちを追いこそうと言って溝をこえ川をわたって近道した、というのだ。

井上はかぶった帽子に雪がつもり、白坊主、雪男のようになってしまった。その姿を「恠《あや》しき御さま」、怪しいお姿になりましたね、と申し上げると、とにかくあの連中を追い越したのは愉快だったねと大笑いなさった。雪と風の中を走りに走る井上の姿は戦って戦って戦い抜いた安倍総理の姿だ。課題を成し遂げたときの晴れやかな笑顔も井上のそれと重なる。

まっ白な雪男のようになってまでして井上は、一刻も早く帰って知りたかったのだ。「シラス」と「ウシハク」の意味の違いは何か。その違いの中にこそ、憲法の形を定める重要な教えがあるに違いない。井上のこの哲学的閃きは正しかった。

「うしはく」と「しらす」

伊耶那岐神《いざなきのかみ》と伊耶那美神《いざなみのかみ》によって始められた国作りは、ついに大国主神《おおくにぬしのかみ》の手によって完成した。古事記には大国主神が完成させた葦原中国《あしはらのなかつくに》が「国譲り」によって天照大御神《あまてらすおおみかみ》に譲られることが書かれている。この国譲りを申し入れる使者に立ったのは建御雷神《たけみかづちのかみ》だった。この神は伊耶那岐命が振るった剣の血が飛び散って成り出でた神のうちの一柱《ひとはしら》だった。剣から生まれた神であるために、自在に剣を操ることができる。建御雷神が大国主神に問うた。

「汝がうしはける葦原中国《あしはらのなかつくに》は、我が御子《みこ》の知らす国である、と任命なさった。汝の考えはいかがなものか」と。

大国主神は領地を「うしはける」のである。天照大御神の御子は「しらす」のである。同じように国（領地）を治めるのになぜ、「うしはく」と「しらす」という異なる言葉を使うのか。両者の違いについて井上は書いている。

「此の二つの詞《ことば》の間に雲泥水火の意味の違ふことゝそ覚ゆる、うしはぐといふ詞は本居氏の解釈に従へば即ち領すといふことにして、欧羅巴人の「オキュパイド」と称《とな》へ、支那人の富有奄有と称へたる意義と全く同し、こは一の土豪の所作にして、土地人民を我か私産として取入れたる大国主神のしわざを画《えが》いたるなるへし、正統の皇孫として御国に照し臨み玉ふ大御業は、うしはぐにはあらすしてしらすと称え給ひたり」

「うしはく」と「しらす」の間には雲泥の差、水と火ほどの意味の違いがある。うしはぐという言葉は江戸中期の国学者、本居宣長の解釈に従えば領有するという意味である。ヨーロッパ人の占領するという意味であり、支那人の言う経済力のある者が、支配するというのと同じである。それは豪族、土豪の所業であり、大国主神が、領地やそこに住む人々を自分の財産と見做すことを指す言葉である。正統の皇孫としてこの貴い日本国を照らし臨み給う偉業はうしはぐではなくしらすと言うのである。

井上は「しらす」こそ、日本の国柄、国体の真髄だと考えた。国家の視座を「しらす」に置かずして、日本国の憲法などあり得ないとの確信を抱いた。こうして井上は明治二〇（一八八七）年二月頃までに起草した所謂「憲法初案説明草稿」で、第一条を「日本帝国ハ万世一系ノ天皇ノ治《しら》ス所ナリ」とした。

この案の「治ス」は後に「統治ス」に改められたが、日本の国柄を軸にした憲法はこうして成立した。

吉田松陰の一生を辿ろうとして、私は夢中になってしまった。余りにも多くの点で安倍総理と松陰先生が重なるのだ。二人を較べながら、考えている間に時間のたつのを忘れてしまった。また井上毅があの痩せた体で、しかも体調の悪い中で雪の中を走って戻り、しらすとうしはくの違いを探り当てた。日本国の憲法はこれで行ける。われらは日本国の正しい形を文字にして、国民にそして世界に示すことができると知った、その深い安堵と嬉しさを、先人たちは体験した。安倍総理も、そして祖父岸信介首相も、先人達の想いを知っていた。だからこそ日本国の国柄を取り戻そうと、必死の戦いを続けてきたのだ。

私は安倍総理に、日本の国柄に基づいた国造りを成し遂げた先人達のあの悦びと達成感を味わってほしかった。だが、安倍総理の一生は松陰の言う四時の順環を得て、完《まっと》うされたとも思う。確かな達成感と深い喜びもあったと思う。また総理は沢山の種を蒔いて逝った。日本らしい日本、はるか古代から日本らしかった日本を、なんとしても取り戻そうと走り抜いた安倍総理に改めて誓いたい。私はその志を継いでいく、と。

第二部　美しい国をつなぐ

安倍晋三×櫻井よしこ

第一章　二〇一二年一〇月二六日放送
第二章　二〇一九年六月二一日放送
第三章　二〇二〇年五月一五日放送
第四章　二〇二一年一二月三日放送
第五章　二〇二三年五月二〇日放送

第一章
地球を俯瞰する戦略

九六条の改正

櫻井　皆様、こんばんは。櫻井よしこです。毎週金曜日夜九時、私のオフィシャルサイトからお伝えいたします。「櫻ＬＩＶＥ　君の一歩が朝《あした》を変える！」です。日本を取り巻く情勢、本当に厳しいものがあります。こうした中で情報と問題意識をあなたと共有して、一緒に日本を良い方向に変えていきたい。そんな思いの番組です。

記念すべき第一回の今日（二〇一二〔平成二四〕年一〇月二六日）は、すばらしいお客様をお招きしました。自民党総裁の安倍晋三さんです。本当によくおいでくださいました。

安倍　どうぞよろしくお願いします。

櫻井　今、この人の声を聞きたい、この人の意見を聞きたい、その筆頭に安倍さんがいらっしゃいます。

早速ですけれども、石原慎太郎都知事が突然お辞めになって。自分の命ある限り、お国のために奉公したい、と国政に戻られる決意です。その気持ちは私、なんとなくわかったんですけど、いかがです？

安倍　八〇歳にしてですね、さらにこの国のためにひと働きしたいというのはすばらしいと思いますね。ちょうど鹿児島で今、補欠選挙をやっていまして、その遊説中に

安倍晋三（二〇一二年一〇月二六日放送）

そのニュースが入ってきましてですね。すぐあと、インタビューを受けたんですけれども。
　石原さんはカリスマもリーダーシップもありますから、日本をいい方向に導いていくように活躍していただければなと思いますけれども。

櫻井　石原さんは、日本国憲法を変えたい、破棄したい、と。それから、お金というのは人や組織、国の特徴を表しますが、わが国の会計基準はおかしいとおっしゃるんです。このへんは、安倍自民党と共有するものはありますか。

安倍　そうですね。今の憲法は問題があるという認識においては同じですね。ただ、石原知事は憲法を廃棄せよ、とこれはかなり革命的な考え方なんですが、われわれはまず九六条を変えていく、改正条項を変えていこうと。

櫻井　日本国憲法の九六条には「各議院の総議員の三分の二以上の賛成で、国会が、これを発議」すると定められていますが、その三分の二を変える。

安倍　三分の二を二分の一にしていこうと。六〇年前に、サンフランシスコ講和条約によって日本が主権を回復したときに、これはハーグ条約上も問題だろうということで憲法を破棄するチャンスはあったんでしょうけれども。それから六〇年を経てしまうと、やや時効になっていることもあって、革命的に破棄するのはなかなか難しいんじゃないかというのが私の考えなんですね。

「三分の二」がなければ国民投票できないというのは、これはやっぱりおかしいですから。三分の一をちょっと超える国会議員が反対したら、いくら国民の六割、七割が変えたい、あるいは自分の意見を反映させたいと思っていても、それができない。国民の手に憲法を取り戻すという意味において、われわれはまずは九六条を変えたいと。

櫻井　今、九六条を変えるにも三分の二が要るわけですね。

安倍　そこがなかなか大変なところです。この選挙においては、わが党は各選挙区に候補者を出していますから、それぞれの党、ある意味では石原さんの新党とも、競い合うことになるかもしれませんが、選挙が終わった後に、そうしたテーマにおいては

櫻井よしこ

協力できるのではないかと思いますね。

櫻井　石原さんは大阪の橋下徹さんとある意味、一緒にやりたいと。でも橋下さんの本命は安倍さんなんですよね。

安倍　それはですね（笑）、ある程度、国会議員の集団として軸を作ってもらいたいという考え方もあったかもしれませんが、私は自民党の総裁をかつて務めた人間ですから、その私が党を捨てて出ていくということはなかなか難しいというか、これはなかなかないことなんですが。

櫻井　すると、むしろ橋下さんを自民党のほうに取り込む？

安倍　そう簡単に取り込むことができるかどうかというのは別の問題なんですが。今申し上げた九六条を変えていく。あるいは教育基本法を改正したけれども、現在、教育委員会の問題がありますね。大津のいじめ事件においてもほとんどその役割を果たしていないし、むしろ隠蔽するほうに回っていたという問題があります。

この教育委員会をどうすべきか。橋下さんたちは橋下さんたちの考えを示していま す。われわれもわれわれの考え方を示そうと考えているんですが、こういうところでは協力できるかもしれないと思いますね。

櫻井 橋下さんとお会いしてどうですか？ 波長がこう、合うというか。

安倍 そんなに何回もお目にかかったことはないですから、こうだということは断言できないんですが、ただ、ある意味魅力的ですし、礼儀正しいですし、だから彼はそういう意味において人気を勝ち得ているんだろうなと思いますね。

櫻井 橋下さん、石原さん、安倍さんのこのお三方がどういう形で日本を変えていくのかはものすごく興味があるんですが、安倍さんのお考えではやっぱり一回選挙をしてみて、その後のことだということでしょうかね。

安倍 小選挙区ですからね。既に自由民主党は各選挙区に優秀な候補者を出していますから、その候補者がそれぞれ勝ち抜いてきて、われわれが民主党政権を倒して、与党に復帰した後ですね。さっき例として挙げた憲法改正なんかは三分の二が必要です

から、その中で多数派を形成していく上においては協力していこうということにはなります。その前においては、われわれはもう既に候補者を出していますので、それぞれの選挙区でお互いにライバルとして戦っていくということになりますね。

一日一日、国益が失われていく

櫻井　野田佳彦総理は、なかなかお辞めになりそうにありません。小泉純一郎さんが、民主党が政権を取ったときに、そんな簡単にちょっと任せようというもんじゃない、これはもう地獄の四年間だとおっしゃった。今、地獄の四年目ですが、どうなさいます?

安倍　鳩山（由紀夫）さん、菅（直人）さんと来ましたから、みんな、野田さんが出てきて、ある意味ほっとしたところはあるんです。しかし、民主党という基本的な問題点を抱えた政党のリーダーですから、やっぱり物事が前に進んでいかないんですね。その中において、八月八日に野田さんは税と社会保障の一体改革法案を成立させたい、と（法案は八月一〇日成立）。でも、これは消費税を引き上げることを含む法案です。かつて三年前の選挙において、民主党は消費税は上げない、しかし、埋蔵金を発掘していけば、一六兆八〇〇〇億円出てくるから大丈夫と、こう言ってたんですね。

櫻井　あのとき、言いましたよね。

安倍　ええ。ところが、実際はそうではなかった。それはやはり政権につけば違うということがわかるというのはあり得ると思いますね。でも、それであれば、重要な政策の変更ですから、国民に信を問うて後に、その政策を実行していくべきだと思います。だから、谷垣（禎一）さんはそう主張してきました。

ただ、伸びていく社会保障費に対応する必要がありますから、われわれは政局よりも政策ということで、それを呑み込んで、党内でいろんな議論があったんですが、谷垣さんは賛成すると。しかし、賛成して成立した暁には近いうちに選挙をやるという言葉を信じて、これは国民との約束ですねという上において、谷垣さんも私たちも賛成をしたんです。

　でも、もう三カ月近く経とうとするけれども、解散していない。これはやっぱりいくらなんでもおかしい。そして、輿石（東）幹事長が「近いうちに」ということについて、新しい具体的な提案があるからということで三党の党首会談をしました。私たちも総理大臣は嘘つきだということは言いたくないんですよ。でも、結果としてそうなってしまったということですね。

櫻井　でも、解散については嘘をついてもいいというのが政界、と。

安倍　そういうことを言う人はいるんですが、今回のこのことについては、もう既に向こうはそれで約束をしたわけですからね。法案は成立しましたから、野田さんはそれで政治生命を懸けたことを成就したんですね。一方、まさにある意味では谷垣さんは総裁ではいられなくなったということですね。やはり信を問うというのは国民との約束ですし。

「解散について嘘をついていい」というのは、その時期について「今、考えてない」と言って解散することはあり得るんです。が、この問題については重要な政策の変更をしたんだから、やっぱり国民に信を問うべきだということがあった上においての約束ですから、これはやっぱりちゃんと果たしてもらわないと、改正教育基本法の教育の目標に「道徳心を培う」と書いてあるんですから（笑）、これに悖るようなことを総理大臣にやってもらっては困るというのが私たちの主張なんです。

櫻井　野田さんが解散を決める唯一の人であるのはわかるんですけれども、やはり「近いうちに」とおっしゃったことは、まさに日本人の道徳観から言うと破られるといやだなあという感じはありますね。

小泉さんが、もう何でも自民党をバッシングすればいいということではなくなった、そこはよくわかったからいいんじゃないかというようなことをおっしゃっていましたが、そのへんはどうですか。

安倍　この「近いうちに解散する」というふうな言葉を述べた以上、外交交渉をしようと思ったってできない。「この人は近いうちに解散しておそらく負けるだろう」と思われていたら、外交交渉力も失うんですね。役人も、「この人の下で仕事をしていても、もうじきいなくなるな」と思っていますから、仕事が前に進まないんですよ。ですから、だらだらとこの政権が続いていくことは、一日一日、まさに日本の国益が失われていくということになります。だから、野田さんもそういう意味でもうじたばたせずに決断、解散総選挙をして、勝てば、世論を背景にまたそのまま頑張ればいいんですよ。

交代したら、今度は私たちが政権を持って、強力に私たちの政策を進めていく。外交交渉も進めていく。日本をしっかりと守っていくということになります。

櫻井　そうすると、選挙は年明けぐらいというふうに考えていますか。

安倍　前原（誠司）大臣がテレビにおいてこうおっしゃいましたよね。野田さんは誠実で真面目な人だから、「近いうちに」ということは当然、年内だとおっしゃったんですよ。ということはどういうことかというと、もし来年（二〇一三年）だということになったら、不誠実で不真面目な人だということになるんですよね。前原さんはそうおっしゃっているんだから。やはり日本の総理大臣としてそうなってもらいたいとは思いませんし、内閣の重要な閣僚がそう言っているわけですから、そこは野田さんもちゃんと判断をしなければいけないと思いますよね。

国家意思を示す必要がある

櫻井　前原さんにも前原さんの思惑があると思いますけどね。

次に政局の話から、政策の話へと移りたいんですけれども。安倍さんは、やり残したことがあるとおっしゃって、総裁に再就任なさって靖国神社の秋の例大祭に行かれました。これは多くの人が納得したことだと思うんですけれども、歴史認識問題を、中国のことなどを考えながら、ぶれずに、しっかりやる必要があるというふうに思いますね。

安倍　日本のために戦った兵士のために一国のリーダーがその冥福を祈り、尊崇の念を表する。これは当たり前のことであり、各国がやっていることですからね。そして、それによって国は守られていくんですね。ですから、この問題について外国からとやかく言われる筋合いはまったく、もちろんありません。

しかし、現実問題として、今、中国と日本は様々な課題について緊張感が高まっています。それをいかにコントロールしていくかということも重要な使命にはなっていくと思いますけれども。

櫻井　そこのところのバランスは本当に真価を問われるところだろうと思うんです。

ですから、日本国の立場を守りながら、国際社会の常識を見ながら、中国を説得していくという意味では日本がきちんと自己主張をしないといけないと思うんですね。

中国はやはり歴史を捏造する国ですよ。靖国神社の問題でも、戦後四〇年まではいわゆる「A級戦犯」と言われる方々のことも何も言わなかったわけですよね。

この中国に対してどう対処していくか。今、尖閣問題もあります。安倍さんが総理大臣になられたら、もしくは自民党総裁としても、中国とある意味で良い関係、ある意味できちんと対等に渡り合っていくか。

安倍　台頭する中国とどう相対していくかということは、日本だけではないと思いますけれども、外交上、安全保障上、今世紀の最も重要な課題だと思いますね。そして、今、何をすべきかというと、まずは日中関係を考えるときに日本と中国だけの関係を見るのではなくて、地球全体を俯瞰しながら、戦略を構築していく必要があると思うんですね。

まずは日米同盟を信頼関係のある同盟として再構築していく必要があります。ですから、私は総理になったら、当然、日米首脳会談を一番最初に行って、日米関係は回復したと、強い日米同盟が戻ってきたということを内外に示していく必要があります。そしてそれと同時に、ASEAN（東南アジア諸国連合）の国々、またインド、オーストラリア、そういう国々との関係を強化していく上において、中国との関係をどうしていくか、対応していくべきだろうと思いますね。

今、尖閣で起こっていることについては、まず尖閣は領土問題がないんですから、この問題についてわれわれは話し合うということではないんです。この問題について話し合いができると思っている人がいるんですが、それは勘違いなんですね。ここで今、日本は実効支配をしています。何をもって実効支配をしているか。あの島には誰も日本人は住んでいませんし、日本の構築物も大きなものがあるわけではない。

一二海里に海上保安庁の船がいて、この領海を侵す中国の船を外に出している。実際、中国の船は今、出ていっていますね。そのことによって日本は実効支配をしているんです。

では、今、毎日のように入ってきている中国の公船が二四時間ずっといて、日本の海上保安庁の船よりもたくさんの船がそこにいてですね。ある日突然中国が、中国は尖閣において実効支配を確立したと世界に宣言して、世界に向かって見てください、と。二〇〇海里の排他的経済水域においては中国の漁船が漁をしてるでしょ、資源管理をやっているのは中国の漁場監視船ですよ、と。一二海里にいるのは中国の船のほうが多いでしょ、ということになったら、世界は「あっ、そうですね」ということになるんですね。今、そこに行くかどうか。

櫻井　今、近づいていませんか。

安倍　かなり近づいているんですよ。

櫻井　昨日だって四隻が日本の領海に七時間も入って、今日も公船が接続水域に入っていますよね。台風が来ればいなくなりますけれども、朝昼晩、夜中、あの近海にずっといますよね。

安倍　ええ。だから、これはこちら側も大変ですよ。荒れる海で、日本はなんとかやりくりはしていますけれども、隊員の人たちも疲れてきますからね。そこで向こうが次々と軍艦のペンキを塗り替えて、色を替えて、いわば日本でいう海上保安庁の船として入れ込んでくるかもしれない。

だから、ここは日本も相当覚悟を決めて、断固として守る必要があります。物理的な力が今、求められていますから、日本中の海上保安庁の船だけで足りなければ、場合によっては、向こう側がペンキを塗り替えているんであれば、そうした補強もしていく必要があるかもしれないし。

櫻井　海上自衛隊の船をペンキで塗り替えると。

安倍　今の段階では、もちろん海上保安庁の船で十分対処していると思いますよ。と同時に、われわれが政権を取れば、来年度の予算編成をできるということになれば、海上保安庁の予算を当然、増やして、強化していきます。船も、人員も、ガソリンもですね。同時に防衛費も増やしていく必要はあると思いますね。

櫻井　私は防衛費を二ケタ増やしてほしいということを書いたんですけれども。

安倍　今こそ、国家意思を示す必要がありますし、このアジアにおける軍事バランスが崩れる危険性がありますからね。日本が防衛費を減らしてきて、向こうが増やしています。そして、アメリカのプレゼンスがどうなるかというときを迎えているわけですから、ここは日本がしっかりと軍事バランスを回復するというメッセージを出していかなければ、本当に結果として大変なことになると思いますね。

民主党政権の不用意な善意

櫻井　安倍さんはインドに行かれて、すばらしいスピーチをなさった。その日本とインドの協力。それは海上自衛隊とインド海軍の協力もそうですし、またアジア諸国は海上保安庁、コーストガードの協力をしたいということについて盛んに日本にメッセージを発信していました。こうしたことについて、安倍さんはどういうふうに取り組みたいと？

安倍　日印で、向こうの海軍と日本の海上自衛隊が共同訓練をしたり、コーストガード同士の様々な訓練を、ある意味、もう少しショーアップしてやっていく必要もあるかもしれないと思いますね。両国が地域の安定を守るために協力していますよ、と。日本とオーストラリアでやってもいいと思いますし。そうしたことをやっていくことによって、地域はより安定していくということになります。

櫻井　それは日本が政治的にも発言権を増していくということにつながりますね。

安倍　そうですね。あと、先般、日米でいわば尖閣を想定した共同訓練をしました。そういうことをもっと大規模にやってもいいんだろうと思いますね。

櫻井　尖閣の近くの小さい島でやろうとしたけれども、ちょっと中国に気兼ねをして、場所を変えるというふうなことがあったというふうに聞きましたが、そのへんはどうなんでしょうか。

安倍　私も政府からそういう情報を得ているわけではありませんから、わからないんですが、むしろ、これは正しいサインを送らなければいけないんですね。中国に、そういうことはできませんよ、日本も本気になるし、日米の絆は揺らいでいないですよ、ということを示す上においては、むしろ向こう側にはっきりわかる形でやったほうが、私はいいだろうと思いますね。

櫻井　日本と中国の意思の疎通が本当に図られているのかということはちょっと今、疑問ですよね。尖閣の国有化以降、海上における偶発的な事故を防ぐための話し合いがまったく途切れている。中国は時々プッツンするんですよね。二〇〇一年にアメリカの偵察機が中国の軍用機に接触されて、海南島に不時着したときに、ブッシュ大統領は九回も当時の江沢民国家主席に電話したんですって。ところが全然出なかった。大使同士のコミュニケーションも、太平洋司令官のコミュニケーションもとれなかった。殻を一回閉ざしてしまうような、わけのわからない、情報が不明朗なところがありますね。この中国に対してどうやって日本が毅然として対処し、ちゃんとわからせていくかというのは、どういうふうな基本的なことをしたらいいと思いますか。

安倍　今の段階では、胡錦濤主席から習近平主席に権力が移っていくという段階ですから、なかなか難しい状況であるのは事実なんですね。日本とのパイプ役をやっている戴秉国《たいへいこく》氏も三月に代わりますから、みんな、そういうポストの人たちが代わっていくんですね。つまり、将来を見越しての判断ができにくくなっている状況です。

しかし、かといって偶発的な出来事からエスカレーションしないようにしなければいけませんから、そういう危険性を避けるためにはコーストガード同士、あるいは向こうの軍と自衛隊同士の緊急的な連絡を常に可能にしていく必要はあるんだろうと思いますね。意外と、例えば韓国と日本のコーストガード同士の連絡というのはけっこう緊密なんです。

櫻井　それから、中国はやはり「柔らかい土はもっと掘れ」というように相手が気が弱かったり、準備がまったく何もできていなかったりしたら、どんどん要求してくる。日本が自分たちの立場を固めないといけないですよね。

安倍　だから、民主党政権は中国に「この島は取れるかもしれない」「この海域の実効支配は奪えるかもしれない」と思わせてしまったことに大きな問題があるんですね。「日米同盟の絆が崩れて、日本は弱い立場になっていて、ちゃんと中国に対抗できないだろう」「日本はもうガッツがないんだろう」と思わせてしまった。「日本に強く出れば必ず譲る」と思わせてしまったところが問題だったんですね。今の民主党政権ほど、中国、韓国に配慮した政権というのはないと思いますよ。

その結果、良くなったかと言えば、最悪になっているんですよ。だから、善意はいい結果を必ずしも生むとは限らない。むしろ国益と国益がぶつかっているとき、不用意な善意を示すと逆の結果になるという。これは原理と言ってもいいと思うんですが、その通りになってしまったと思いますね。

集団的自衛権の解釈変更

櫻井　安倍さんのおっしゃるように日本が憲法改正の動きをします。それから集団的自衛権の問題、安倍政権のときにも一生懸命なさって、これも踏み込みます。そして、防衛省の予算、海保の予算を増やします。これをするだけでも私はかなり中国は「日本侮り難し」というふうに思うんじゃないかと思うんですけれども。自民党が政権を取ったとして、安倍さんの下ではこれをやれますか。

安倍　それは当然、できますね。集団的自衛権については、集団的自衛権の解釈の変更と海外での武器の使用についての変更ですね。これは安倍政権時代に四分類に分けて、解釈を変えていこうということを決めました。そんな分類に分けずに、根本から集団的自衛権の行使を可能にすべきだという意見もありますが、いずれにせよ、安倍政権時代に取りまとめた四分類については、まず基本的に私は解釈の変更を閣議決定していくことをめざしていきたいなと思いますね。

どちらにしても、公海上で日本の海上自衛隊の船とアメリカの海軍の船が併走していて、アメリカの船が襲われたら日本が助けないということを国会で総理大臣が答弁するだけで、日米同盟は弱くなっていくんですね。実際、そんなことができるかどうかという問題ですよ。

櫻井　あり得ないですね。それでは、日米同盟が壊れてしまいます。

安倍　例えばミサイル防衛で、日本に飛んでくるやつは落とすけど、グアムに飛んでいくやつはパスするという。それで、一万人とかが死んでしまった瞬間に終わりですよね。

また、海外でのＰＫＯ（国連平和維持活動）において、日本の部隊と、例えばオランダの部隊が一緒にいるとしますね。それでオランダの部隊がゲリラに襲われて、日本の自衛隊に助けてくれと救援を依頼したときに、日本は「それ、憲法上できないから、日本はすぐに引き揚げます、さようなら」とこう言ったら、世界中が驚くわけですね。実際、そんなことはできませんよ。逆は助けてもらうんですから。

今言ったのが四分類中、三つの分類なんです。もう一つは日本独自の考え方で、「武力行使と一体化する」という考え方があるんですね。例えば何か、イラク戦争みたいなことが起こったり、あるいは「テロとの戦い」のようなときに、給油活動をするということが「武力行使と一体化する」と言われたり、あるいはまた、傷ついた兵士を助けることが「武力行使と一体化する」と、言われているんですね。

櫻井　傷ついた兵士を助けると「武力行使と一体化する」というのは、この人を助けたら、元気になったらまた戦争に行くからという意味なんですか？

安倍　ということなんですね。ですから私はかつて、「じゃあ、ナイチンゲールは武力行使と一体化しているのか」と言って反論したことがあるんですが（笑）。こんな解釈をしているのは世界中で日本だけですから、これを変更していこうということで、四分類においては解釈を変更していくべきだという結論が出ているんです。こうした変更をすることによって日本は戦争に巻き込まれるのではなくて、より世界の平和に貢献できるし、日本や地域はより安定したものになっていくんです。結果としてね。

自衛隊の子供が学ぶ教科書

櫻井　集団的自衛権の行使に踏み切る、それはぜひしてほしいんですけれども。でも、それだけでは不十分で、やっぱり憲法改正をしないといけないし、そのプロセスの中で自衛隊の皆さん方に対しての敬意とか感謝というものをいろんなところで表現しないといけないと思うんです。

今、民主党政権下で一律全部お給料もカット、予算もカット。あの3・11であんなに一生懸命働いた人たちが、自分たちは本当にどういうふうに評価されているんだろうなと思うと思うんですね。国の守りを担当してくださる人たちをもっと大事にするという精神風土はとても大事ですよね。

安倍　そうですね。昨年の3・11以降、自衛隊に対する偏見は相当消えたと思いますね。彼らが頑張ってくれたからこそ、なんとか多くの人たちが死なずに済んだ。そしてその後の復旧もずいぶん進んだというふうに、国民の考え方が変わりました。

ただ、例えば中学校の「公民」の教科書ですね。東京書籍という一番売れている教科書、東北ではほとんどシェア一〇〇%ですよ。その教科書の自衛隊の記述が、半分は憲法違反という意見もあるという書き方なんですね。政府は憲法違反ではないという考え方ではあるが、武力を放棄した日本において憲法違反だという考え方もある。「政府はこう考えているけれども、国民は違うよ」という書き方なんですよ。ＰＫＯにおいても、これは海外への軍隊の派遣であるという憲法違反だ、という考え方があると、こう書いてあるんですね。

これはもう敬意を払うどころか、こんな教科書が検定を通るということ自体がおかしいじゃないですか。

櫻井 おかしいです。

安倍 東北ではシェアが一〇〇％ですよ。ということは、自衛隊員の子供たちもこの教科書で学ぶんですよ。私はこれ、どうかしていると思いますね。

ですから、今度自民党に作った教育再生実行本部において、検定のあり方と教科書の採択のあり方をもう一度よく見直しをしていこうという小委員会を作りました。

櫻井 ほんと大事なことだと思います。

最後にちょっとお伝えしたいことがあるんです。ベトナムに若い日本人のカップルが行って、起業をしたんです。ベトナムは日本が大好きなんだけれども、そこから日本を見ると本当に情けないと。日本はどうしてこんなに意気地のない国になったのか。アジアの国々がこんなに日本に期待しているのに、肝心の日本がほんとダメじゃないかと、すごく悲しい思いをずっとしていたのです。安倍総裁誕生のニュースを聞いたときに、この若い青年が、遅くまで自分の会社で仕事をしながら、泣いたそうですよ。

これで日本再生は大丈夫だ、安倍さんに期待したい。僕は泣きましたというメールが来ました。どうぞ、こんな人はたくさんいると思いますから。

安倍　ぜひ、期待に応えていきたいと思いますので。

櫻井　ええ。頑張ってください。

安倍　ありがとうございます。

櫻井　今日は本当にありがとうございました。

（二〇一二年一〇月二六日）

第二章　ビューティフル・ハーモニー

日本ならではの会議に

櫻井 あと一週間で大阪でG20サミット（二〇カ国・地域首脳会議、二〇一九［令和元］年六月二八～二九日）が始まります。

安倍 そうですね。

櫻井 今までで最大規模ですね。

安倍 G20はまさに経済のサミット、あるいは世界の首脳が集まるサミットとしては、最大級と言ってもいいと思います。

櫻井 去年（二〇一八年）のアルゼンチンでのG20の写真を見ると、真ん中に総理がいらっしゃいます。色々な国々の首脳、トランプ大統領も習近平主席も、プーチン大統領もいらっしゃるし、国際機関等を含めると三七の国と機関が集まるということです。これは日本としても初めてですし、大仕事ですね。

安倍 そうです。令和の新たな時代が始まり、その中で大阪から世界に発信をする非常にいい機会だと思っています。

櫻井 会場は大阪城の迎賓館とか、そういった所なのですか。

安倍 そうです。夕食会は大阪城の迎賓館で行います。

櫻井 日本的なお城の中でということで、日本を象徴しますけれども、このG20、難

安倍晋三（二〇一九年六月二一日放送）

しいのではないかな。

安倍　そうですね。いま、例えば世界貿易、経済についても、地球温暖化等の地球規模の課題についても、なかなか意見の対立が激しくなっていますけれども。

そこで、令和の時代を迎えた日本。令和はビューティフル・ハーモニーですから、日本ならではなのです。違いを強調するのではなく、お互いに協調出来るものは何か、意見があうものは何か、そこに焦点を当てた会議にしたい。

経済においても、安全保障においても世界の状況は厳しい。だからこそ、G20がバラバラになったらお終いですから、G20がしっかりと結束しつつ、世界をより良くしていくという方向に向かって進んでいく。そういうメッセージを発信出来るような日本ならではの会議、日本ならではの結論に向けて、議長として責任を果たしていきたいと思っています。

櫻井 今まで日本政府の外交などを、多少見てきたつもりですけれども、安倍政権以外の政権だったらG20をまとめることは、恐らく非常に難しいのではという気がするのです。安倍総理がこれだけ実力を発揮なさって世界中を駆け巡って、そして世界の首脳の中でもベテランの首脳におなりになって初めて成功が期待されるのだろうと思うのです。

G20の主なテーマとして、①米中貿易摩擦の緩和など世界経済、②デジタル経済のルール→「大阪トラック」創設、③海洋プラスチックごみの削除、④WTO（世界貿易機関）改革、などを挙げています。どれを見ても、とても大事なことなのですけれども、どこに一番の焦点をあてていらっしゃいますか。

安倍 国際的には何と言っても注目しているのは、一番目の米中の貿易摩擦なのだろうと思います。米中だけではなくて、例えばアメリカ・ファーストで、ディール（取引）で物事を解決していこうというトランプ流の方針に対して、果たして上手く行くのだろうか、ということで注目が集まっています。これは上手く行かないと、世界の経済にも大変大きな影響があります。

櫻井よしこ

櫻井　大変です。

安倍　そこで大切なことは、日本の経済はまさにルールの下の自由で公正な貿易の中で成長してきましたね。でもこれは日本だけではなくて、世界経済が成長してきましたから、日本の立場は一貫していまして、貿易制限措置の応酬はどの国の利益にもならないし、あらゆる措置はWTOのルールと整合的でなければならないという考え方です。でも、いまのWTOのままでいいの？　ということであれば、日本も大いに疑問を持っていますし、問題点はあると思います。

そこでその改革においては、アメリカにも協調してもらいつつ、いかに共通点を見いだすことが出来るかどうか。共通点を見いだしながら、それを発信していくことによって、経済をより安定化させていきたい、安定的な成長軌道に乗せたいと思っています。それともう一つは、「大阪トラック」創設。

「日本だから出来るね」

櫻井　デジタル経済は、日本がいま一生懸命にリーダーシップを発揮しているのですよね。アマゾンなど、デジタルによって巨大になっている企業があって、そして技術の面でもデジタルが取り入れられることによって、世の中が、革命的に変わるわけでしょう。

安倍　そうですね。デジタルデータというのは、まさに二〇世紀の石油なのですね。

櫻井　二〇世紀の石油。

安倍　石油は経済を成長させていく源でしたよね。

櫻井　じゃあ二一世紀はデジタルで。

安倍　デジタルのデータなんですね。いわばＡＩ（人工知能）も、膨大なデータの中から優れたＡＩが誕生していくわけですね。その意味におきましても、データをいかに集めることが出来るかどうか。そしてそれを処理出来るかどうかによって、世界の覇者が決まっていくと言われているのです。そこで、例えばある国がこのデータを全

部囲いこんでしまう。

櫻井　ある国って、もしかして、もしかして中国かしら。

安倍　（笑）。ある国がですね、囲いこんで行くことによって、圧倒的に有利になっていきます。そこで、まさに石油を独占したのと同じことが起こります。やっぱりそれでは、世界にとって、人々の幸福にはつながりませんから、まずこのデータがしっかりと自由な流通をする、そしてちゃんとルールがなければいけないということについて、ダボス会議で私は主張いたしました。データの自由な流通、それは信頼関係の下にありますね、と。個人情報の保護もありますから、「Data Free Flow with Trust（データ・フリー・フロー・ウィズ・トラスト）」という考え方を示して、メルケル首相を始め、多くの人たちから賛同を得ました。

そしていま、ＷＴＯが様々な課題があって動いていませんが、電子商取引について、この考え方の下にデジタル経済のルール作りをスタートしよう、それを大阪から始めよう、と。それを「大阪トラック」と呼んでいるのです。これが二一世紀のルール作り。

いままで日本は世界のルールを作るということには、それ程、参加していなくてですね。

櫻井　参加出来なかったのですよね。

安倍　出来なかった。決まったルールの中で優等生だったのですね。今まで欧米がほとんどのルールを決めて来ましたが、やっぱり日本こそが中心的にルールを決めていく。「なに、日本は言っているのだ」ということに、実はなっていないのです。「日本だから出来るね」ということにおいては、ヨーロッパも、アメリカも、そして中国も共通認識がありますから、ここでまさに未来の成長の米となるこのデジタルデータのルール作りをしっかりと進めていくスタートを切りたいと思っています。

櫻井　世界のルール作りということで、やはりこれをどうしても視聴者の皆さんにも知って欲しいと思うのです。安倍総理がＴＰＰ11（環太平洋パートナーシップに関する

包括的及び先進的な協定）をおまとめになったでしょう。アメリカが抜けて、誰もが最初はもう駄目だと思ったのに、おまとめになった。それから日本とヨーロッパのＥＰＡ（経済連携協定）もお作りになった。世界地図を見ると、日本が中心となって太平洋の方にＴＰＰ11が出来て、今度は日本を中心にヨーロッパの方へと、ある意味、世界を網羅するようなルール作りを安倍政権がやった。これは日本人は凄く誇りに思っていいことだと思うのです。今度はこのデジタル経済のルール作りも頑張っていただきたいのですが、これは難しいのでしょう。

安倍　これは大変難しくて、専門的な世界なのですが、二〇カ国の首脳たち、それ以外の国々、国際機関の人々も集まります。そこで首脳たちが集まってスタートを切りたいというふうに思っています。もう一点はこの海洋プラスチックゴミですね。

櫻井 総理、このグラスにさしてあるストローは紙のストローにしています。

安倍 気付きました。この話をするときに、これがプラスチックだったらどうしようかと思っていたのですが（笑）、さっき飲んでみたら、さすがに櫻井さん、これは紙ですよね。

櫻井 実は正直に言って、この前までプラスチックだったの。ああ、いけないと思って反省をして、急遽、変えたのです（笑）。

安倍 問題は、これが海に出てはいけないということですね。G7（先進七カ国）でも昨年、そういう方向性について議論をしたのですが、ただ海にはG7からはほとんど流れ出ていませんから。

櫻井 統計を見ました。中国が凄く多いのです。

安倍 そういう国がちゃんと入って、みんなで守っていく。なかなかそれが出来ないところには、いわば先進国は日本が中心となって応援をしていこう、と。この海洋プラスチックゴミの削除についての大きな方向性、ビジョンを、打ち出したいと思います。これも、日本ならではのことなのだろうなと思っています。

櫻井　六月二六日にはマクロンさん、二七日には習近平さん、二八日にトランプさん、二九日にプーチンさん、と連続して個別会談を行います。本当に重要な方々にお会いして、これだけではなく他の国々の首脳ともお会いするわけですよね。韓国の方とはお会いしないことになりましたか。

安倍　G20の議長で議事進行に全部責任を持ちますので、「バイ（二国間）の会談」をやる時間が非常に限られますので、その中で出来るかどうかということについては、いま事務的に検討していますが。

櫻井　建設的な会談が出来ればいいけれども、いまそれがやっぱり、条件が整っていないですものね。だから時間がないですわね、やっぱりね（笑）。

安倍　（笑）。いずれにせよ、日程的に可能かどうかということなのだろうと思いますけれども。

櫻井　WTOの改革にしても何にしても、首脳宣言をまとめることが出来るかどうか。いまギリギリの状態だということも聞いたのですけれども、その辺はいかがですか。

安倍　いま、それぞれの国のシェルパ、交渉の責任者同士が相当ギリギリの交渉をしています。EUと米国も意見が違いますし、また中国も意見が違います。その中でしかし、日本はアメリカと同盟関係にありますし、トランプ大統領とも信頼関係があります。EUとの関係においては、まさにいま櫻井さんがおっしゃったように、大変難しいと言われた日EU・EPAが妥結をし、そして既に発効していますね。大変難しい協議でしたから、EUはやっぱり日本は大したものだと思っているのです。

そういう意味においては、中国との関係も改善しているということがありますので、日本は上手く三者を取り持ちつつ、いい結果を出していきたいと思っています。

先ほどお話しをさせていただいた世界貿易の問題、デジタル経済、あるいは気候変動といった地球規模の課題もあります。また女性の活躍も大きなテーマの一つになっています。それぞれいいメッセージ、G20でまとまったメッセージを出していくべく、恐らく今日も、いまの時間も頑張ってシェルパたちは協議をしていると思いますけれども。

経済大国としての責任

櫻井　自由貿易でまとめられることが出来たら、これ本当に凄いことですね。
安倍　アメリカも基本的には自由貿易なのです。ですから、基本的にどこが同じかということを探しつつ、ですね。気候変動においても、やっぱり世界の大きな目標を達成するためには、非連続的なイノベーションが必要なのです。例えばアメリカは最もイノベーションが進んでいますし、日本もそうなりたいと思っているのですがイノベーションが非常に起こりやすい風土になっていますよね。ですからそういう意味においては、米国を仲間に入れなければいけない。気候変動の問題、海洋プラスチックゴミの問題もそうなのですが、いかに米国を仲間に入れていくかということで言えば、まさにビューティフル・ハーモニーの日本だろうと思います。

櫻井　大相撲の土俵の上で、「レイワ・ワン」と仰ってくださったわけですから、そこをやっぱりトランプ大統領にも協力をお願いすると。

安倍　そうですね。

櫻井　もう一方、難しい方がいらっしゃいますよね。この写真では「僕、困ったな」という感じのお顔で習近平さんがいらっしゃる。この頃は、色々問題が山積しているのではないか、と。この習近平さんの立場はどういうふうにご覧になっていますか。

安倍　中国は、この二〇年間で画期的な成長を果たしましたね。世界の経済大国になり、日本を追い越してしまったわけです。しかし当然、経済大国になれば、それに伴う責任があるとは思います。しっかりと世界の模範たるべく、ルールを守っていく。あるいは共にルール作りを行っていくということもあるのだろうと思います。世界のスタンダードを認識しながら、行動していくということもあるのだろうと思うのですね。

中国は急速な発展ですから、様々なルールとの関係では途上にあるのかもしれませんが、世界の大勢は法の支配を尊び、そして自由と民主主義、人権を大切にするという普遍的な価値があります。この大きな大切な価値について、やはり中国に理解をしていただけるように、我々も努力をしていきたいと思っているのです。

櫻井　この（二〇一九年）六月には香港で反政府デモがありました。香港は七〇〇万人くらいの人口ですが、最初のデモ（六月九日）は一〇〇万人を超え、その一週間後のデモ（六月一六日）は二〇〇万人を超えた。今度の七月一日は香港が二二年前に中国に返還された記念日です。そこでもまた中国政府、香港政府が犯人の引き渡し条例（「逃亡犯条例」改正案）を諦めなかったり、ミセス・ラムという香港の行政府の長（キャリー・ラム＝林鄭月娥行政長官）がやめなかったりしたら、香港の人たちは凄く不満を持っていて、もっと我々は大きなデモを考えるぞと言っています。七〇〇万人のうちの二〇〇万人がデモに出る。天安門の時は五〇万人くらいだったわけですから、これは総理、恐ろしいくらいの数ですよね。習近平主席にとって、このような香港の反政府デモは想定外だったわけでしょう。だから本当にいま国内的にも、困っているのだろうと思うのです。

安倍　香港は一国二制度、そして自由民主、安定という観点から、まさにアジアの成長センターとして発展してきましたよね。日本も含め、世界中から投資がいき、そして成長して来たのだろうと思います。そういう意味におきましては、やはり世界が期待するのは、一国二制度の中の自由民主、そして安定なのだろうなと思いますね。

櫻井　習近平さんは、いま、アメリカと米中貿易戦争に直面していて、G20で総理がどうまとめていかれるかにも関わってくるわけです。その突破口を開くためだと見られていますが、習近平主席が北朝鮮に二〇日（二〇一九年六月）に行って大変な歓迎を受けました。中国と北朝鮮、習近平さんと金正恩さん、一体どんなことを話し合われたのですか。

安倍　朝鮮半島の非核化を目指すという米朝プロセスによって始まった試みについては、中国も日本も、もちろんアメリカも、ロシアも含めて、完全に足並みを揃えています。それと同時に、中国は国連（安全保障理事会）の常任理事国ですが、朝鮮半島の非核化のための国連の制裁決議も含めて、賛成をしています。その中での訪朝だと思います。米朝プロセスを進めていく上において、北朝鮮に対する強い影響力を持っていますから、その影響力を行使してもらいたいなと思っています。

大阪において、日中の首脳会談が予定されています。そこで色々なお話も伺いたいと思っていますし、昨年、私が何年か振りに日本の総理大臣として訪中をした際に、夕食会等で相当、率直な話が出来る関係が出来たと思っています。ですから、ぜひどういうお考えで訪朝されたのか、あるいはどういうお話があったのかを伺いたいと思っています。また昨年、訪中した際にも、北朝鮮との関係においては、拉致問題が日本にとっては最重要課題であるということについて、割と詳しくお話もさせていただいたところであります。

櫻井　習近平主席に。

安倍　習近平主席にですね。その際、この私の考え、日本の姿勢に対して、理解と支持をいただいたというふうに私は思っているのです。ですから首脳会談においては、相当突っ込んだ話もしたいなと思っています。

アボット元首相が日本を賞賛

櫻井　習近平主席は、あれだけの大きな国のトップですから、色々な側面があると思うのですけれども、総理との会談の中で習近平主席の示した側面、どんな感じがしました？　例えばトランプ大統領は凄く率直に「シンゾー」と言って話しかけて下さるのだろうなというのが想像出来るのですけれども、習主席はどうです？

安倍　もちろん、トランプ大統領と他の大統領とは全然違いますから（笑）、比べるのは難しいのですが。ただ中国の主席と言えば、第一次政権の時には胡錦濤主席だったのですが、やはり中国というのは共産党の国であります。これは小泉総理が昔のブッシュ大統領にも言っていたことなんですが、なかなか本音は話さないなということはおっしゃっていて、私もそんな感じはしてたのです。が、しかし何回か会談を習近平主席と重ねるうちに、先般行われた夕食会の中では、打ち解けた話もしていただいてですね。

櫻井　総理、騙されないで下さい。

安倍　（笑）。いわば、人間性というか、人生観が滲むような話もされておられたと思います。もちろん、どの国の首相も、大統領もそうなのですが、それぞれが国益を背負っています。しかしその中でお互いに国のリーダーであるからこそ持つ、重責に対する気持ちですよね。そういう感情を吐露する人もいますし、全くそれを話さない人もいるのです。そういう意味においては、私は日本の総理大臣として、彼も中国の主席として相当重いものを背負っている。しかも中国は一四億の民で、相当困難を抱えている中において、相当色々な重荷を背負っておられるのだなという感じはありますよね。

櫻井　どんな風にそれを感じるのですか。相当重荷を背負っているなと、総理に感じさせたのはどんなことなのですか。

安倍　なかなかね、細部についてお話しするのは難しいのですが（笑）、今まではお互いにお互いの政策的な主張をしつつ、どういう政策を進めていくかという話だったのですが、と同時に、やはり中国のいわば統治の今までの歴史も含めて、自分の考え方をお話しされました。

櫻井　難しい国ですものね。

安倍　そうですね。

櫻井　いま中国の本当の友人になる国はほとんどいないような気がするのです。日本はいま、総理のお陰で世界中に友人が出来たと思います。この前、フジテレビの松山俊行さん（現・フジテレビ報道局政治部長兼解説委員）が総理がイランに行かれたときに、取材に行ってイランの国民の皆さんに日本の首相を知っているかと訊いたら、みんな「シンゾー・アベ」とフルネームで言ったのですって。これ、凄いことだと思うのですけれども。

安倍　元々、日本の立ち居振る舞いは、基本的にはどの国や国民からも愛されてきたのが事実なのだろうと思うのですね。私は仲が良かったのですが、今日、オーストラリアの前の前の首相、アボット首相が日本に個人的に来られたのです。仲間と五人で一週間ずっと日本でサイクリングをしたらしいのですね。

雨の中を行って、雨に濡れたから、コインランドリーに行ったのですって。コインランドリーってちょっと使い方が分からなくて、サイクリングで着た洋服を入れて、やや呆然としていたら、日本人がトコトコって来てね。何も言わずに自分の財布から一〇〇円を入れてポチッと押してくれたんだ、って。彼が言うには、こんなことはオーストラリアでは起こらない、と。素晴らしいこの親切さは賞賛に値するというような話もされていたのですが、そういうことが世界中で起こっているのです。

日本の援助もそうです。日本の援助は、本当にその地域のために援助をする。日本の企業も、短期間で利益を得てサヨナラというのではなくて、その地域の人たちの雇用を作って協力をして、とそういう姿勢ですよね。どこでも大変支持されています。そしてたまたま私が長い間、首相を務めさせていただいて、そういう日本人全体が積み重ねてきた徳と上手く結びつけて考えていただいたので、私もだいぶん得をしているのですが。そういう意味ではより顔が見えるようになったのかなと思っていますけれども。

「一帯一路」の四条件

櫻井　総理もそうだし、日本自身も世界中にお友達、日本はいい国だなって言ってくれる友好国がいる。また中国に戻りますけれども、中国はあまり好かれていないというか、嫌われている面が多い。アメリカなどでは米中貿易戦争があることも関係していますが、サプライチェーンから中国を外して考えようとしている。それによって、アメリカの企業もずいぶん傷つくかもしれないけれども、いまはそれを我慢して、やはり中国とは違う独立した世界をつくろうというような声が有力な人たちから出てきています。これに対して日本は中国のすぐ隣で、歴史的な関係もある。一方でアメリカとは同盟国で非常に絆が深い。この狭間に立つ日本は、私はアメリカの側に立って色々やるのかなと思うのですが、このG20ではその辺の案配も難しくありませんか。

安倍　中国と日本の関係は、中国は隣国ですし、最大の貿易相手国です。一方、米国は日本にとっては同盟国です。日本がもし海外から侵略をされたらアメリカの若い兵士が命がけで日本を守ってくれる唯一の国ですね。日米同盟は、揺るぎない確固たるものでなければならないと思っています。

そこで中国との関係で言えば、先ほど言ったように貿易制限措置の応酬は、どの国の利益にもならないと、こう考えています。WTOのルールと整合的でなければならない。これは習近平主席にも、あるいはトランプ大統領にも申し上げているのです。同時に、知的財産の侵害の問題、あるいは技術の強制移転の問題、あるいは市場歪曲的な補助金等の問題や、国有企業の活動に関わる課題。こうした課題については、中国にやっぱり向き合ってもらって、改善をしてもらわなければ、世界が発展して行く上で、自由で公正な開放的な貿易には繋がっていかない。これには私たちもアメリカと共に、またこれはEUも同じですから、声を発しているところでありますし、中国にもぜひ耳を傾けてもらいたいと思っているのです。

櫻井　中国の「一帯一路」に総理は前向きであるけれども、この「一帯一路」を問題ではないかと言う方がいます。私は総理のお話を聞けばそんなことはないと思うのですが、改めてこの「一帯一路」、どういうふうにお考えになっているのか。

安倍　これはアジア、アフリカ、中央アジアは全部そうなのですが、そこには膨大なインフラの需要があるのです。でも、これに必ずしも、応えられていない側面もあるのです。そこで、中国は自分たちがお金を出して協力しますよということを名乗り出たわけですね。それはいわゆる「一帯一路」というビジョンなのですが、日本としては一つ一つプロジェクトを見ながら、そのプロジェクトのまず、経済性ですね。

櫻井　はい。相手の国のものになるかということですね。

安倍　そしてお金を貸しても、ちゃんと返せる額なのか、金利なのか。
櫻井　高利貸しみたいにしてはいけませんよ、ということですね。
安倍　ええ。債務の持続性ですね。そしてこれはオープンなものなのかという開放性ですね。それから「このプロジェクト、不透明なんじゃないの？」という問題の透明性。

この四条件を出しました。この四条件が適うのだったら、日本も、日本から総裁が行っているアジア開発銀行も、一緒に協力をしていくことが十分にあり得ますよ、と。この四条件が満たされなければ協力しませんから、われわれが一緒になることによってかえって（条件が）満たされてその国の利益になる、という主張なのです。ですから、プロジェクトで一緒にやることが当然ありますが、でもそれは四条件を満たすということなのです。

我々は質の高いインフラでなければいけないし、この四条件がなければ、かえってそれを受ける国のためになりませんね、という主張をこの数年間ずっとしてきました。その結果、この前、財務大臣会合がありましたが、そこでこの四条件を中国も言うようになったのです。

櫻井　なるほど。日本が中国を変える力になったと。

安倍　もちろん、実際にやるかどうかがこれから試されてくるのですが、ただ、これはやっぱり正しいことを主張し続けること、そしてそれを主張する仲間を作ることですね。そして影響力を行使しながら、相手もこちらに寄せてくるという、これもビューティフル・ハーモニーなのです。そういう意味においては、この「一帯一路」について、その国の、そこに生きる人々の本当の利益になる、という形の協力を我々はしていきたいと思っています。

櫻井　四条件を満たせば、日本の企業がそこに入っていくことはなんの問題もないわけですね。

安倍　これは何の問題もないですね。ですが、そこが例えば軍事的な施設になったり、あるいは施設が丸ごと使えなくなってしまったり、中国のものになるとかは駄目ですよということなのですがね。

櫻井　ただ、「一帯一路」の色々なところが軍事的な拠点作りと重なっているということについては懸念しておられますか。

安倍　それは国際的な懸念でもあるのだろうと思います。だからこそむしろ日本が入っていく、協力出来るところには協力していくことによって、そういう懸念を払拭したいと思っているのですね。

ハメネイ師の言質

櫻井　次はちょっとイランのこともお聞きしたいのですけれども、総理はハメネイ師とお会いになりました。ハメネイ師とお会いしたのが六月一三日でした。その時に、日本のタンカーと、ノルウェーのタンカーが攻撃されましたでしょう。あのニュースを、総理はいつ聞いたのですか。報道によっては、ハメネイ師が総理に直接伝えたというものもあったのですけれども。

安倍　それは違います。会談の後、連絡が日本からありまして、その事実を知ったのです。そもそも、それ以前にもタンカーへの攻撃、あるいは様々な小競り合い、テロ等があったのは事実です。もとより、この地域の緊張を緩和するという試みは非常に困難な試みだということは、私もよく分かっているのですが、しかしそれでもなお、日本はイランと伝統的に友好な関係にあり、そして米国とは、信頼されている同盟関係にあります。またイランと敵対的な関係になっているイスラエル、あるいはサウジアラビアやUAE（アラブ首長国連邦）、それぞれの首脳とも私は信頼関係があります。そういう中にあるからこそ出来る日本の役割があるのだろう、と。

やはり、拱手傍観《きょうしゅぼうかん》しているという選択肢は取るべきではない。日本の役割を果たしていくべきだろうという判断をしました。そこでハメネイ最高指導者と会う前にはロウハニ大統領からは、決して戦争を望んではいない、そして核開発は追求しないということを明確に言質を取りました。ロウハニ大統領とは毎年、国連総会の度にもお目にかかっていますし、ダボスでもお目にかかっています。そしてハメネイ最高指導者は、核兵器は作らない、そして保有しない、また使用しないということを明確に述べたわけです。

櫻井　凄いことですよね。世界がイランの核をとっても心配している時に、作りません、使いません、戦争をしませんということを、リーダーたちから、しかも最高指導者から聞いたわけですから、これは凄いことです。

安倍　私を通して世界にもう一度、宣言をして、私は日本の総理大臣として証人となったわけなのですね。もちろん、だからといって急に緊張が緩和されるわけではありませんが、しかし時間がかかってもそういうことの積み重ねによって、最終的には対話が始まり、問題が解決をしていく。日本もそのための役割を果たしていきたいと思っています。

櫻井　総理がトランプ大統領にも頼まれて、イランに行かれたと思っていいわけですね。

安倍　いわば米国も、いま言った国々も、基本的に私がイランを訪問し、ハメネイ最高指導者と直接話をすることについては、それは是非行うべきだという考え方でありました。

櫻井　総理はこのハメネイさんに、お父様が外務大臣をしておられた時に、一緒に行ってお会いしたということを聞きましたけれども。

安倍　ハメネイさんが、大統領だったのですね。

櫻井　当時、大統領。

安倍　当時は大統領。私はついては行ったのですが、お目にかかってはいないのですが、先方は私が一緒について行ったことは知っていました。

櫻井　なるほど。その時の青年が、いま日本国の総理ですか、みたいなお話はあったのですか。

安倍　そういう話はありました。いまハメネイ最高指導者の外交の顧問を務めているのがベラヤティという人なのですが、このベラヤティさんが、当時外務大臣だったのです。革命の後ですから世界で最も若い外務大臣と言われた。私の父が外務大臣ですからカウンターパートで何回も会談をしましたので、ベラヤティさんには私は会ったことがあります。ベラヤティさんは覚えておられましたね。

櫻井　なるほどね。そこでハメネイさんとの会談の後に、日本からの情報でタンカーが攻撃されたとお聞きになった。アメリカはいまこれをイランの革命防衛隊がやったのだということで、ビデオまで出しました。その後にアメリカの無人機が攻撃されて撃墜されてしまって、これもアメリカは革命防衛隊だと言って、それなりの証拠を出しているわけですが、これはどう思われますか。

安倍　同盟国の米国から、我々は情報を受けています。日本の判断としては、大体そうなのですが、米国からの情報だけではなくて、ある程度、私たち自身の情報も分析しながら最終的な判断をします。今後も、よく状況を分析していきたいと思いますし、アメリカとも緊密に連携をしていきたいと。イラン側からも、情報をいただきたいと思っていますが、いずれにせよ、この中東地域は、こうしたことの連続なわけですね。一方、日本のエネルギーは、まさにこのホルムズ海峡を通って、六割以上が日本にやってくるわけでありますから、この地域の平和と安定は日本に直結する生命線なのですね。

同時に世界の繁栄にとっても、地域の平和と安定は不可欠なのだろうと思っています。その意味においても、日本がやっぱり役割を果たしていかなければならないと思います。

櫻井　誰がドローンを撃墜したのか、誰がタンカーを攻撃したのかについて、ヨーロッパとアメリカの考え方も多少違うし、アメリカは革命防衛隊だと言い、でもイランは全否定する。藪の中なのですけれども、やっぱり日本はアメリカの情報を重視するということでよろしいですか。

安倍　現在のところ、我々にとってはアメリカの情報が、いわば唯一の情報に近い。他の国からの情報もありますが。ドローンについては、米国はドローンが撃墜された、イランの革命防衛軍は撃墜したと言っています。これがイランの上空かどうかで意見が違っているということで、ここはまだ不確かなところなのだろうと思います。大切なことは、エスカレーションに繋がらないようにしていくことなのだろうと思いますよね。

櫻井　総理が行かれてせっかく核を作りません、使いませんという言質を、最高指導者から得たにもかかわらず、その後、何となくアメリカとイランの関係は、より緊張したような感じがしますが、これについて日本が出来ることはなんでしょうか。

安倍　一つは、いわば相手のことを見誤る、あるいはメッセージが間違って伝わる、その連続が武力衝突に繋がっていくことがあるのだろうと思います。その意味におきましては、私はトランプ大統領と何回か会談をし、そしてイランについて話をしていますから、その観点からハメネイ最高指導者にアメリカの考え方、トランプ大統領の考え方を、私なりに伝えたわけです。先方の考え方については、また別途、トランプ大統領にも伝えています。そしてイランは今後とも、日本との関係においては、日本の大使館経由等々、あるいは外務大臣同士の関係等において、色々なメッセージを出してくると思います。

お互いの間違った理解に繋がらないようなことはしていきたいとは思っていますが、それはそう簡単なことではありません。イラン革命以来、積み重なった不信感があって、それは指導者だけの話ではなくて、国民全体の感覚でもあるのだろうなと思います。これは一回行って簡単に解決出来るという問題ではないことは、最初から私たちもよく理解したところでありますが、やはりこれは岩に爪を立てても登っていく必要があるのだろうなと思ったのです。

櫻井　とにかく各国の指導者にハメネイさんは全然お会いしてくださらない。その中で日本国の総理大臣が会うことが出来たこと自体、そして総理がトランプ大統領のメッセージをちゃんと伝えたということ自体が、私は日本外交は大成功だったのではないかというふうに思うのです。もちろん、まだこれからたくさんしなければならないことがありますけれども、やっぱりこの辺を日本のメディアもきちんと評価した方が、日本の外交力強化に繋がると思いませんか？

安倍　我々もメディアに評価してもらおうと思ってやっているわけではないのですが、ただ、多くの国民の皆さまには、日本の努力、私たちの努力についての理解はしていただいているのかなと思います。それはこういうネットを通じた、言論テレビを含めてですね。

櫻井　もっと出てくださいね（笑）。

安倍　ずいぶん、情報の取り方が、国民の皆さんも、特に若い人たちを中心に変わってきましたから、今までのように報道ぶりがそのまま国民の理解には繋がってはいないのだろうと思います。

櫻井　直接、総理がお話しになることをこういうふうに何万人もの人たちに見てもらえるというのは心強いことですね。

（二〇一九年六月二一日放送）

第三章　日本人の底力を信じた

「国民に頼もう」

櫻井　それにしても日本人は新型コロナウイルスに本当によく対処しました。政府は三九の県で緊急事態宣言を解除（二〇二〇〔令和二〕年五月一四日）しました。そして経済対策、第二次補正予算の編成に入りました。今夜は内閣総理大臣、安倍晋三さんをお迎えしております。こんばんは。

安倍　こんばんは。よろしくお願いします。

櫻井　よろしくお願いします。本当に連日、お疲れ様でございます。今日はまた、お父様の安倍晋太郎さんの御命日だということで、お父様も見守ってくださって、頑張れと言っていらっしゃると思います。

早速お話を伺いたいと思いますけれども、今日発表（二〇年五月一五日）の東京都の感染者（新規PCR検査陽性者）が九人、全国で見ても三一人ということで、総理が国民を信頼して緊急事態宣言を出した、拘束力はないけれども本当によくやったと思うのですが、この四〇日間の日本国民の行動、これについてどのように思われますか。

安倍　昨日（二〇年五月一四日）、残念ながら東京は解除することが出来なかったのですが、三九県において期間満了を待つことなく緊急事態宣言を解除することが出来ました。拘束力が弱いということもずいぶん言われたのですが、国民の皆様には本当に

安倍晋三（二〇二〇年五月一五日放送）

ご協力をいただきまして、ご負担をおかけしたのですが、皆様の努力の結果として、三九県解除することが出来ました。改めて国民の皆様の、本当に多大なご協力に感謝を申し上げたいと思います。

緊急事態宣言を発出した四月には、感染爆発が起こるのではないかということも言われておりました。厳しい見方もありました。また医療現場も本当に厳しい状況、医療提供体制も逼迫をしていたのは事実なのですが、欧米のような罰則を伴う外出規制が出来ない中で、例えば、いわゆる「夜の街」においても、人の流れがほとんどない、営業も一割以下に自粛をしていただきました。そしてゴールデンウイークにおける観光地においても、例年よりも人の出は八割以上、抑えられていたわけでありまして、本当に皆様方が強い意志をもって、この感染の拡大を何とか食い止めて、収束させようという協力を頂いて、一致結束して三九県、解除することが出来たと思います。

櫻井　この前、西村康稔大臣にお話を伺いましたが、拘束力もない緊急事態宣言を出すにあたって、七割、八割というのは本当に大変なことだというふうに総理と議論をした、と。その時に総理は「日本国民は絶対に出来るから、頼もう」と、「国民に頼もう」とおっしゃったと。国民に信を置くというところに私はちょっと感動したのですけれども、その時のお気持ちはどんな感じでしたか。

安倍　日本はこれまでの長い歴史の中で、様々な困難に直面してきましたが、その度ごとに、日本人の底力を発揮をして乗り越えてきました。今回もこの（緊急事態宣言は）欧米のような強制力を持たないのですが、やっぱり日本人みんなで力を合わせれば、気持ちをひとつにすれば、やり遂げることが出来ると、こう考えました。本当に国民の皆様に大変なご負担をお願いをしたところなのです。行きたいところにも行けない、外出もなかなか出来ないし、仕事を休まなければいけない、お店を閉めなければいけない、収入が減る中で本当に不安で厳しい毎日だったと思います。その中で本当にご協力をいただいた結果、ここまできました。

櫻井よしこ

また八つの都道府県においては解除することができませんでしたし、ある程度、条件付きの解除のところもありましたが、そういう地域の皆さんには、引き続き、気を引き締めていただきまして、いましばらく、緩めないようにお願いしたいと思っています。

我々は、なるべく新規感染者のピークを、山を小さくしながら後ろに倒していく、その間に治療薬を開発していくということを申し上げてきました。この治療薬やワクチンが開発されるまで、ウイルスとの闘いは終わらないわけでありまして、長期戦を覚悟して新たな日常を、我々は、生きなければいけないと、こう思っています。その新たな日常を作っていく、その新しいステージに入ったということです。

コロナ、政府の責任

櫻井　記者会見（二〇二〇年五月一四日）で「コロナの時代の新たな日常」とおっしゃった。「コロナの時代」という言葉がやっぱりみんな嫌だなと思うと思うのですけれども、長引くコロナの時代の新たな日常、政府はどういうふうに国民に話しかけますか。

安倍　新規感染者数は、だいぶん抑え込むことが出来ているのですが、しかしコロナウイルスは存在するわけでありまして、それをまた再び、感染拡大の方向に進まないように抑えながら、同時に社会経済活動も本格的に回復していくことが大切なのだろうと思います。その取り組みを進めていく上においては、国民の皆様のご理解と協力が不可欠なのだろうと思いますし、丁寧に皆様に説明をしながら、前進していきたいと思います。

政府の責任としては、先ほど申し上げました治療法とワクチンを開発していく。これは世界の英知も結集していく必要があると思いますが、政府が主導してしっかりと開発していきたい、皆様の元にお届けしていきたいと思います。そしてまた、次なる感染の拡大に備えて、検査体制、そして医療体制を整えていくということと同時に、

やっぱりまだ厳しい状況が続きますから、国民の皆様を守るための支援を、スピード感をもってしっかりとお届けをしていかなければいけない。そうしたことを、しっかりと進めていくということは、お約束したいと思います。

櫻井　日本の打ち出した経済対策のレベルは、他のどの国と比べても、遜色のないものというふうに思うのですけれども、この辺についてのお気持ちはどうなのですか。

安倍　先ほど、新しい日常、コロナウイルスとともに生きなければいけないのは、嫌な感じだなというふうにおっしゃったのですが、何とかお薬、ワクチンによってそういう状況を打破していきたいと思います。が、それまでは当面、このウイルスとともに、生きなければいけない。そういう新たな日常の中でどうしていくかということなのですが、その中で大変、国民の皆様にもご負担をおかけしておりますから、しっかりと支えていく。特に雇用と暮らしを守り抜いていくということが政府の責任だと思っています。

そのためのもう一段、強力な対策が必要と判断いたしまして第二次補正予算の編成を指示いたしました。例えば飲食店の皆さんの家賃負担の軽減のための支援制度を作る。そしてまたアルバイトによって、学費、あるいは生活を支えている学生の皆さん、大変だろうと思います。そういう皆さんが学業を継続することが出来るように支援をしていく。これについては最大二〇万円ということで、来週中に予備費で対処していくことを決定したいと思います。

櫻井　総理、お金はいつわたるのですか。

安倍　これは既に予備費というのがありますから。

櫻井　予備費はある。

安倍　来週中に決定をして、なるべく早く、お届けをしていきたいと、こう思っています。あらゆる手立てを尽くして、徹底的に皆さんの生活を下支えしていきたいと思います。いま言われたように届くのが遅いという、色々なご批判を頂いております。

櫻井　国民みんなが、安倍晋三さん、何しているのだと、遅いというふうに思ってしまっています。やっぱりいくら良いことをしても遅すぎたら効果が薄れますので、スピード感というのはとても大事だと思いますね。

安倍　我々も、そうした声に真摯に耳を傾けながら、そうした声を受けて、さらにスピードアップをしていくように取り組んでいきたいと思います。

櫻井　経済活動の再開と感染拡大の阻止というのは両立しにくいものです。私も早く解除して欲しいと思いつつも、また解除されて感染が拡大したら大変だという思いがあるのです。総理も非常に難しいというふうに、昨日の会見でおっしゃっていましたけれども、この辺の工夫といいますか、日本独自のやり方もあろうかと思うのですが、いかがでしょうか。

安倍　経済の再開と感染拡大の防止、抑制を両立させていかなくてはいけない。行き過ぎた規制は国民生活に致命的な悪影響を及ぼします。一方、行き過ぎた解禁は、第二波、第三波、大きな波になる危険性があります。このバランスに、世界中が悩んでいるところですし、ドイツにおいては緩めた途端に、また感染が拡大をした。

櫻井　韓国もそうですよね。

安倍　韓国もそうですね。そういう国が他にもあり、世界中が悩んでいるわけです。いまのところ、どこにも正解がない中において、世界中が試行錯誤していく必要があるのだろうなと思います。この新しい生活様式、例えば、今日もそうなのですが「3密」を避ける、テレワーク、マスク着用、そうしたことを徹底していく。と同時に、社会経済活動を再開していく上において、業態ごとにどういうふうに対応していこうか、と。映画館どうしよう、劇場どうしよう、散髪屋さんや衣料品店はどうしよう、お店をどうしよう、レストランをどうしよう、旅館をどうしよう、皆さん、考えられると思います。業態ごとに業界の皆様にはご協力をいただいて、八〇を超える業界ごとのガイドラインを決めました。このガイドラインの下に、まさに新たな日常の中で経済活動を再開していただきたいと、こう思っています。

検査体制、医療体制

櫻井　私も総理のご指示、それから政府の要望をきちんと守っていまして、総理と私の距離は大体三・五メートルあるのですね。真ん中にアクリルのボードがありますし、総理がいらっしゃる前は全部扉を開けて空気を入れ替えて、そして次亜塩素酸で消毒もいたしました。手洗いもちゃんとやっています。日本国民はこの緊急事態宣言発出から四〇日間でここまできた。やっぱり日本人は素晴らしい、一生懸命だなとお感じになりますか。

安倍　本当にそういう意味では、日本人は手洗いをよくする、あるいは衛生管理をしっかりとやっている。これは世界の中で誇ることが出来る日本の特性でもあろうと思います。

そういう中で政府は政府として対応していくということにおいて、起こるかもしれない第二波に備えなければいけないと思います。先ほど申し上げましたように、検査体制においてＰＣＲが少ないのではないかというご批判もずっと頂いてまいりました。医師が必要と判断した皆さんがスムーズに検査を受けられるようにしていくために抗原検査を一三日（二〇二〇年五月）に薬事承認しました。これは三〇分で結果が出ます。そういう意味では大変対応が早くなっていくと思います。

櫻井　いつ頃から出来るのですか。

安倍　これはもう一三日に薬事承認をしまして、一日二〇〇〇万件対応が出来るようになります。

櫻井　保険適用も。

安倍　保険適用です。いま、ＰＣＲ全体で大体二万二〇〇〇件の能力がありますが、この抗原検査は一日大体二〇〇〇万件の対応ができるということになります。約三〇分。ウイルスの多い人においては感度は一緒なのですが、しかしＰＣＲで陽性と出た人は間違いなく陽性ということになりますので、早く対応しなければならない方についてはこれで判定できるようになるのだろうと思います。

また同時に唾液を使ったPCR検査の実用化に向けて、いま加速をしています。PCR検査は鼻や喉の奥をぬぐいますから、その際、感染するリスクがありますね。

櫻井 医師の側にね。

安倍 お医者様の側に。色々な時間もかかるのですが、唾液を使ってやればそのリスクがなくなりますので、検査従事者の皆様の負担が大幅に削減されると思います。そうした形で、しっかりと体制を整備していきたい。

医療提供体制ですが、ＩＣＵ（集中治療室）を含めた病床の確保をしていかなければならないと思っています。かつては一万人近くの方が入院をされていたのですが、いま現在は約四五〇〇名の方が入院をされておられます。ずいぶん減ったのですが、いま確保済みの病床が一万六〇〇〇床あります。そしていざという時のために三万一〇〇〇床、さらに確保出来るように想定しています。そういう意味ではだいぶ余裕が出てきています。

また人工呼吸器が足りなくなったら大変だというふうに言われていました。我々は、一万五〇〇〇台用意しました。いま使われているのは二〇〇台です。ですから、一万五〇〇〇台に対して二〇〇〇台が使われている。また、エクモ（ECMO、体外式膜型人工肺）については一〇〇〇台を超える対応が出来るようにいま整えているのですが、使われているのは三〇台ですから、だいぶいま医療提供体制には余裕が出てきています。さらなる充実も図っていきたいと思っています。

櫻井　ただ、総理、エクモは日本が世界で一番たくさん持っているということが新聞に書いてありました。世界の半分くらいが日本にある、と。だけれどもそれを扱うベテランの医師や技師の数が少ないということです。エクモがこれだけあるから大丈夫とはなかなか結びつかない面について、医療人材をもっと増やしていくことも考えなくてはいけないですね。

安倍　それは大変重要な点だと思っております。エクモには相当、対応する人が必要ですから、そういう人材の対応も、整備をしていきたいと思っています。

櫻井　日本の果たすべき役割として、医療で人類を救っていく、ある意味で幸福にしていくということは、非常に重要なある種のミッションだと思うのですね。そして日本の文化や価値観にも適合していると思うのです。

ここにアビガンがありますよね。それからフサンとか、カタカナの名前でなかなか覚えられないのですが、アクテムラとかイベルメクチン、これ全部、日本のお薬ですよね。

安倍　そうです。

櫻井　こういったものを、もちろん安全性や効果を確認してからですけれども、他国に負けないようにどんどん出していって、日本が救世主になるといったらおかしな言い方ですけれども、もちろん日本国民を守って、世界の人々を守っていくというところに国家戦略として力を尽くして欲しい。

安倍　そうですね。当初から、我々は短期的には薬の開発が必要だということで、力を入れてきました。これは日本のお薬ではないのですが、アメリカと共同治験をしたレムデシビルについては特例承認をもうすでにしています。重症者の皆さんに処方しようということで十分な量を我々は確保しています。そしてアビガンについては、すでに三〇〇〇例投与されていますし、効果も出てきておりますので、有効性が確認されれば今月中に薬事承認をする考えです。そしていまお話があったイベルメクチンは、ノーベル賞を取られた大村（智）先生が開発をされたものですが、新型コロナにも有効性が示唆をされておりまして、北里病院で近く医師主導の治験を行っていく見込みです。

櫻井　総理、このイベルメクチンというのは、もう三億人の人々に。

安倍　皮膚病で使われています。

櫻井　毎年三億人に投与されているということは、害がないということにも。

安倍　いわゆる副作用については確認されているわけですね。それはアビガンもそうですが、アビガンよりも圧倒的に多くの方々に処方しています。

ただ、目的のための有効性が確認されないと薬事承認にはならないものです。しかしこれも早く有効性が確認されて薬事承認ができれば、と思っております。

また膵炎の薬のフサン、あるいは関節リュウマチのお薬のアクテムラ、これもいずれも日本製、日本発であり、すでに使われているお薬です。それぞれ臨床研究等を、いま実証していますが、一日も早く治療薬が患者の皆さんに届くように努力をしていきたい。

お薬はそれぞれ、長所が違いますから、一つのお薬だけではなくて、二つ、三つ合わせれば、より効果が出る患者さんもいます。これはお医者様が決めることですが、こうしたものが次々と出ることによって、より有効性が高まっていくのではないかと期待をしています。

櫻井　日本の厚生行政は凄く慎重、よく言えば慎重、悪く言えば遅いわけですけれども、ここは緊急時ですので、もちろん安全性を担保しながら早くなさっていただきたいと。

安倍　今日も国会で質問がなされたのですが、アビガンも通常の治験であれば、これは六月、七月だったのですが、これを今度は、いわゆる企業治験が終了しなくても観察研究と臨床研究の成果で有効性が確認されれば薬事承認をするというコースで、薬事承認が出来ればと思っています。ワクチンについても、国際社会でみんな協力をしているのですが、日本においても東大、そして大阪大学、国立感染症研究所でそれぞれ、開発をしておりまして、早いものでは七月に治験が開始できるというふうに聞いています。

櫻井　じゃあ、本当に間もなくというふうに期待してよろしいわけですね。

安倍　はい。

一斉休校は成果を上げた

櫻井　次に総理、お見受けするところ、この辺に白いものが目立ったり、ご苦労なさっていると思うのですけれども、その割に国民の間で総理への信頼度があまり高くない。とりわけ、先月の世論調査なんかを見ますと信頼度が凄く落ちて、今月になってまた回復して高くなっていますけれども、先月は本当にこのコロナウイルスの状況で大変な時期でしたし、見るからにご苦労なさっているなという感じがしたのです。

そのような総理のなさる一つ一つの政策には高い支持率があります。

例えば、緊急事態宣言そのものの発出は良かったという意見が多く、緊急事態宣言の延長も八〇％が評価している。でも政府の新型コロナ対応全体をどう思うかと聞くと、「評価する」は三六・四％、「評価しない」が五七・〇％となっているのです。これは産経新聞とFNNの合同世論調査の数字ですけれども、内閣支持率は拮抗していますが、不支持が少し高い状態からいま、支持がまた不支持を上回っています。総理は精魂傾けていらっしゃるはずなのですが、なぜ世論は時に総理に対して不満、このような結果を出すのか。ご自分で言うのは難しいと思いますが、どうですか。

安倍　国民の皆さんの声であり、お気持ちであると思いますので、私も真摯に受け止めなければいけないと思っています。政府、政治の最大の務めは国民の命を守ることであり、健康を守ること、経済においては雇用をしっかりと守ることです。それが生活を支えていくことになる。この責任を果たさなければならない。ただ、厳しい状況が続いておりますから、政府は何をやっているのだ、遅いじゃないか、そういうふうに思われるのは当然なのだろうと思います。
我々もこの使命を果たすために、例えば二月の段階で一斉休校、大規模イベントの自粛についてお願いをいたしました。これはかつてない措置でしたし、国際的にもまだ一斉休校があまり行われておりませんでしたから、大変なご批判もいただきました。しかし、私は間違いなく、成果を上げたと思っています。一斉休校については、その後、多くの国で一斉休校を実際に実施しています。それによって、国立感染症研究所のゲノム分析によれば、中国からの第一波は抑え込むことが出来たと推測されています。

その後、四〇〇〇名近い乗客、乗員が乗っているダイヤモンド・プリンセス号への対応がありました。七〇〇名を超える方が感染をされました。あの時も様々なご批判をいただきました。世界でも初めての出来事であったと言ってもいいのですが、現場の力、保健所の皆さんから自衛隊の皆さんに至るまで、本当にオールジャパンで対応した結果、この船のウイルスは国内では収束をしたと分析をされています。

そして四月の初めに緊急事態宣言を発出した時には、遅いというふうにご批判もいただきました。二週間後の東京はニューヨークになっているのではないかということも、ずいぶん言われたのですが、実際にはそうならずに、欧州経由の第二波もいま日本では収束に向かっておりますし、人口当たりの感染者数も、死亡者数も、G7（先進七カ国）の中では圧倒的に小さく。

櫻井　圧倒的に少ないですよね。

安倍　ええ。圧倒的に小さく抑え込まれています。これも本当に国民の皆様の強い意志の力を持ったご協力の成果であろうと、感謝を申し上げたいと思っています。これからも全力で、我々は、国民の皆様の健康と命を守るためにあたっていきたいと思っています。

同時にその間、国民の皆様には大変なご負担、あるいは制約の多い暮らしの中で我慢をしていただいていると思います。やはりその中で仕事を守る、事業の継続を支援していくことが我々の使命だろうと思います。それが暮らしを守っていくことに繋がります。

そこで例えば実質無利子最大五年間、元本据え置きの融資は、休日返上で頑張っていただいたのですが、これは政府系の金融機関だけではなくて、お近くの信金、信組、また地銀でも取り扱えるようになりました。通常の五倍のペースで五兆円近くまで実行しています。

そして今月受付を開始した最大二〇〇万円までの現金給付は、僅か一週間で入金がスタートしまして、この一週間だけで一三万社の中小企業、小規模事業者に、一六〇〇億円以上、お届けをしています。ただこれは電子申請ということになっていて、やり方がわからないのではないかという声もずいぶん届いています。

櫻井　電子申請でなければ二〇〇万円を受け取れない。

安倍　そこでなかなか難しいという方に対しては、サポートするための対応をしているのですが、いまだいたい四〇カ所くらいの全国でサポートする場所を五〇〇カ所に増やして、五〇〇〇人体制で支援をしていきます。ですから、もっと多くの皆さんにこれを使っていただけるようになると思います。

また雇用調整助成金については、今すでに対応しておりますが、このレベルも、世界で最も手厚いレベルの上限を一万五〇〇〇円まで特例的に引き上げていきます。そして同時に、雇用されている方が自分自身で申請をし、自分自身でお金を受け取れる新しい制度を創設します。これはいまの形の雇調金を受け取るよりも、相当スピードアップ出来ると思っています。出来る限り早く、やっぱり必要な時に必要なお金がいかなければいけませんから、皆さんのニーズに応えていきたいと思っています。

また家賃の補助なども、この二次補正で対応していきたいと思っています。

櫻井　いまのを伺いますと、本当に手厚い経済対策をなさっていらっしゃるし、国民もそれを凄く喜ぶと思うのです。学校の一斉休校も、私は大変良かったと思っているのです。あの時は独断専行でやったとずいぶん批判をされました。でもその後の世論調査を見ると、もっと強いリーダーシップを発揮して欲しい、もっと果敢にやって欲しいという声があり、総理があまりやっていないというような調査結果が出る。このギャップですね。一斉休校をしてくださいと要請したら勝手にやったと言われるし、今度はもっとやれと言われる。

経済対策も、いま総理がお話しになったように、私は世界のどの国と比べても、遜色のない手厚いものだと思っています。イタリアに友人がいて、その人の場合はどうなっているかを聞きましたけれども、日本とは雲泥の差なのですよね。日本は本当によくやっている。にもかかわらず、どうして公正なる評価、あるいは公正なる批判が出てこないのか、と。私は、私も含めたメディアの問題が凄く大きいのじゃないかと思うのですが、これに対して、総理のコメントは求めません。

安倍　ありがとうございます。

日本企業のものが日本に来ない

櫻井　これからの日本は国民がしっかりするのと同時に、国の在り方そのものを考えなければならない時期に来ていると思うのです。国の建て付けそのものについては、また後で憲法のところでお話をうかがいたいと思いますけれども、今回、思うところというのは何かありましたか。

安倍　今回、感じたのは、やはりこういう状況になると世界中もちろん、お互いに協力し合うのですが、同時に自分の国のことでみんな頭が一杯になりますね。ですから例えば、どこかの国で日本の会社が生活必需品を作っていて、それを日本に持ってくる、輸入するという形になっていたとする。でも、こういう形になっていると、なかなか日本に出してもらえない。日本の企業が作っていても日本に来ないということも起こるのです。

ですから、こういういざという時には、やっぱり日本が、日本人の生活、安全、健康や命を守るために確保しなければいけないものがあるのだなと、こう認識をしなければならないのだろうなと思いましたね。

櫻井　特に中国の今回の振る舞いを見ていると、日本だけではなく、多くの国々が疑問を持ったと思うのですね。アメリカはいま非常に激しく中国と対立していて、米中の対立の基本構造は変わらないし、むしろもっと深刻になっていくと思います。

地理的に見ても日本は太平洋の向こうのアメリカと、日本海のすぐ後ろの中国に挟まれていますよね。そして世界経済でいえばアメリカがナンバー・ワン、中国がナンバー・ツー、日本がナンバー・スリーで、その世界最強の国々が一列になっている。

こういういわゆる地政学の中にあって、日本のこれからの進路は非常に難しいのではないか。日本が独自の道を歩む決意をしなければ、駄目なのではないかと思うのです。米中の対立がこれからもっと深刻になっていくであろうこの世界情勢の中で、わが国の進路をどういうふうに取っていかれますか。

安倍　まず、日本の立場は日米関係は同盟関係です。自由と民主主義、人権、そして法の支配、基本的価値観を共有している同盟国ですね。これは日本の外交、安全保障政策の基軸といってもいいのだろうと思います。同時に中国はＧＤＰ（国内総生産）で世界第二位の国ですし、日本にとって最大の貿易相手国でもあります。しかし同時に隣国であるがゆえに、様々な問題、課題を抱えているのも事実だと思いますね。

そこで例えば、今回のコロナウイルスについては、まさに中国から世界に広がったのは間違いない事実なんだろうと思います。そこでいま、このコロナウイルスを巡っても、米中は対立していますが、日本の役割は何か。これは中国をどんどん叩くのではなくて、このコロナウイルスのようなパンデミックが起こった時に、どう世界が対応していくかという在り方を提示していくことなんだろうと思うのですね。

例えばこういうことが起こった時には、迅速に、そして透明性をもって、あるいは自由な形で、情報や知見が共有されなければならないということは、我々は主張しています。今回はその問題があったと思います。

そして日本としては、いま米国はWHO（世界保健機関）も批判をしていますが、WHOの中において、認識を一つにしなければいけないと思っているのですね。そこで日本はEUと共に月曜日にWHOの総会で提案をします。やっぱり公平で独立をした包括的な検証を行うべきだという提案をする予定です。恐らくこの提案は通るのだろうと思います。日本は欧州と協力をし、かつ、日本は米国も一緒にということを言い、中国を何とか巻き込みながら、こういう原則を作っていきたいと思っています。

櫻井　総理、中国は巻き込まれると思いますか。

安倍　いま我々もそういう努力もして、WHOの中において公平で独立をして包括的な検証をしていくということについて、反対する理由はないのだろうと思うのですね。

櫻井　反対する理由がないことに、中国はいつも反対しますよ。人権についても、国際法についても、わが国の尖閣諸島についても。いまだって漁船を追い回して大変な事態になっています。中国に正論をぶつけることは大事ですけれども、いまアメリカは中国はおかしいと、議会もホワイトハウスも民間の研究者も国民も、それからビジネスリーダーも一体となっています。我々は中国を受け入れられないのだと、サプライチェーン、部品の供給網から切り離していこうというところまでいっているわけですね。

確かに総理がおっしゃるように、日本にとっては中国は最大の貿易相手国ですけれども、もういまは発想を変える時ではないかと思うのですよ。お金儲けよりも、安いものを買うよりも、もっと私たちが目指す公正な国際社会、少なくとも国際法を守る間柄、そういったものを目指して日本も軌道修正するべき時なのかなと思うのですが、いかがです？

安倍　日本が今まで言ってきた、櫻井さんが言われるいわゆる「正論」ですね。例えば世界に対して支援をする上においては、透明性があって、開放性があって、そして自由でなければいけない、相手国の財務の健全性、持続可能性等が考慮されなければならないという原則について、中国に求めてきたのです。最初は中国は反対していましたが、最後には、昨年のＧ20の大阪サミットにおいて、中国もこの原則にとうとう賛成するに至りました。

櫻井　それはよく承知しております。

尖閣は圧倒的な態勢で対応

安倍　いま、申し上げたＷＨＯのパンデミックに対する対応についても、米国だけでは恐らく中国は反対し続けるかもしれませんが、ＥＵと日本が一緒になってタッグを組んで、そしてもちろん豪州もそうですが、多くの国々が入ってきます。そうなれば中国もやはり国際社会の重要なプレイヤーでいたいと思っていますから、賛成する可能性は非常に高まってきている。また、その努力をしていきたい。

同時に、いまおっしゃったように、例えばマスクは中国に依存していたのは事実だと思います。それ以外にいろんなサプライチェーンにおいて、一カ国に、中国に偏っているものもあります。こういうものはやっぱり見直しをしながら、他国から日本への回帰に支援を行っていかなければいけないと思っています。

例えば日本の企業のＡＳＥＡＮ諸国におけるサプライチェーンの維持、再構築については、ＪＢＩＣ（国際協力銀行）を通じて支援をしていくことを決めています。こういう戦略性を持った対応を経済においてもこれから我々はしていかなければいけない。

櫻井　その点、ＮＳＣ（国家安全保障会議）に経済班が出来ました。あれは凄くいいですね。

安倍　これはそういう国家戦略的な観点から、経済政策についても、しっかりと施策を立案してもらいたいと期待しているのです。

櫻井　経済班がNSCの事務局であるNSS（国家安全保障局）の中に出来たことは、私は非常に重要なことだと思いますし、また総理が日本企業を日本に呼び戻したいということをおっしゃった。それも方向性としてはもの凄く正しいと思うのですけれども、やはりもっと規模が違うのではないかという気がするのですね。

例えばアメリカなどは徹底的にアメリカ企業をアメリカに戻す。ドイツもそうです。今回の新型コロナウイルスの問題は単に衛生上の問題ではなくて、まさに安全保障の問題だという捉え方をしていて、アメリカが七〇兆円、ドイツが五五兆円くらいのお金を用意して自国の企業を守る。特に安全保障関連の重要な企業を中国に乗っ取られないように、買収されないように守る基金を作ったわけですね。

日本国は、日本に戻るのを支援するということで二〇〇〇億円くらい出しましたけれども、七〇兆円とか五〇兆円と比べるとケタが違うわけです。日本と中国は歴史が長いだけに、いろんな信頼関係があるのはよく分かるのですけれども、いまの中国政府の手法を見ると、信頼してもそれをちゃんと証明できなければならないわけで、その証明する過程において何をされるか分からない。

さっきもちょっと申し上げましたけれども、尖閣の海では、日本の漁船を中国公船、海警が追い回している。この海警は中国共産党の中央軍事委員会の下にあるわけで軍隊と同じですね。海警が漁船を追い回して、海上保安庁の船が漁船を守っていた。すると中国は、日本が中国の権益を侵犯している、直ちにやめろと厳重に申し入れたと記者会見で言って、中国の施政権があたかもそこにあるかのようなイメージ作りをしている。

こういった中国に対してもろに敵対する必要はないかもしれませんけれども、笑顔を見せながらも本当は敵対する。また、日本国を守るという意味で、先ほどの部品供給網を日本に戻すことについてももっとドーンと予算をつけて本格的に、重要な日本企業を守っていくのだという戦略をお立てになってくださいますか。

安倍 技術を持った企業を守る。これは当然、外為法（外国為替及び外国貿易法）等々を駆使して、しっかりと守っていきます。資本が脆弱な企業に対しては、我々は資本を充実させるための支援を今回、しっかりとやっていきます。そのためには十分な資金を確保して、対応していきたいと思います。

また、尖閣の問題については、尖閣でのそうした力による現状変更の試みに対しては、圧倒的な態勢で、我々は対応しています。

櫻井 圧倒的な態勢とはどういう態勢ですか。

安倍 これは具体的なことですから、あまり言えないのですが、入ってきた船に対してはこちらが圧倒的な態勢で対応するということにしています。

櫻井　例えば向こうが一隻来たら、こちらは二隻、三隻、四隻行くぞというようなことですか。

安倍　こちらの戦略ですから、具体的なことは申し上げませんが、圧倒的な対応をする。安倍政権になってから、そういう対応をしています。

また、習近平主席にも、尖閣における日本政府の意思を見誤らないでもらいたいということもハッキリと申し上げているわけで、そういう点はしっかりと私たちの強い意思は現場においては示していると思います。その点、海上保安庁の皆さんには大変なご負担を掛けておりますが、しっかりといま、意思を示しているということです。

櫻井　海保の力も、自衛隊の力も、もっと充実させていく必要があると思われますか。

安倍　この八年間で海上保安庁の対応力は相当、向上させてきました。これからも当然、対応力を強化していきたいと思っています。

国防の根幹

櫻井　そこで、やっぱり私は憲法改正について、どうしてもお聞きしなければならないと思うのです。今回の特措法（新型インフルエンザ等対策特別措置法）が非常に緩い立て付けで、最初に総理が緊急事態宣言を特措法に基づいて出された時も、これは何の役にも立たないという批判の記事をアメリカの『ウォールストリート・ジャーナル』も書きましたし、他も書いていました。そう言われてもしょうがないくらい緩いものでありました。

今回、でも政府の呼びかけに国民の皆さん方が本当に一生懸命に協力して、ここまで来ましたけれども、これからいつ何時、何が起きるか分からない。命令する時には命令が出来るようなものを作らなければいけないのではないかと私は思いますが、それを許さないのがいまの憲法ですよね。

いまの憲法のとおりにやっていたら、例えば中国が尖閣に毎日のように来ていて、漁船も追いかけまわしているような時に、どうしようもない。どうしても憲法改正をしなければいけないし、憲法改正するという意思をきちんと見せることが、アメリカにも中国にも、日本国は侮りがたしというある種の畏怖の念を植え付けることになると思うのですね。

そのためにも憲法改正をやらなくてはいけないのですが、やれるのは安倍総理しかいないと私は思っています。安倍総理以降の総理大臣にどなたがなっても、安倍さんほどの信念と思いを込めてやろうと思っている人は、いないと思うのですけれども、安倍総理、あと一年ちょっとですよね。なぜ動きが鈍いのですか。

安倍　もちろん自民党として、すでに四項目の改憲イメージもお示しをしていますし、憲法九条においても、すでに自衛隊を明記するということを決めています。この方向でしっかりと進んでいくことを決めていますから、私の次の総裁も当然、その時に出来ていないことをしっかりとチャレンジしていただけるものと確信をしているのですが。

櫻井　次の総裁がどなたになるか分かりませんけれども、あまり信頼出来ないという感じがします。

安倍　私としては何とか憲法改正を成し遂げたいと思っています。

今回も、例えば緊急事態に対する憲法の規定、これは参議院の緊急集会のみしか規定がない、これはやっぱりおかしいよね、ということもずいぶん言われています。緊急事態になったときに私権の制限が必要だということも、その根拠を憲法に書くべきではないかなということを、例えば長島昭久さんなんかも言っていますね。

例えば、九条なんですが、先般、自衛艦「たかなみ」が中東に向かいました。あの地域は日本のエネルギー政策について極めて重要な地域で、この地域の平和と安定に貢献することは日本に求められているし、日本にとっても大切なミッションだと思います。そのミッションに「たかなみ」が出航する式典に、私も総理大臣として、最高指揮官として出席をしたのですが、そこには出航する自衛官たちのご家族、子供たちも一緒に来て別れを惜しんでいました。しかしそのすぐ近くで「憲法違反」というビラを掲げて、デモをする人たちがいた。本当に残念な光景でしたね。

世界中、こんな光景はおそらくないのだろうと思います。こういう状況に終止符を打たなければいけません。

例えば、百里基地でスクランブルに飛び立つ自衛官たちは本当に命がけのミッションでもありますね。その横に「自衛隊憲法違反」という看板が掲げられているのですね。これを見るたびに悲しくなるという話を私も聞いたことがあります。こういう状況に終止符を打つのは私たち政治家の使命なのだろう、と。

いま自衛隊は日本の組織の中で最も国民から信頼されている組織です。これは自衛官たちが大変な努力を積み重ねた成果、彼らが勝ち取った信頼なのだろうと思います。その中において、憲法にしっかりと自衛隊と明記して、こうした論争に終止符を打つ。これは国防の根幹でもある。その責任を果たすのはまさに私たち政治家なんだろうと思います。その責任を私は果たしていきたいと思っています。

櫻井　その言葉を重く受け止めました。今日は本当にありがとうございました。

安倍　どうもありがとうございました。

（二〇二〇年五月一五日放送）

第四章
台湾有事は日本有事

「台湾有事は日本有事」

櫻井　総理が一二月一日（二〇二一［令和三］年）、台湾のシンクタンク、国策研究院文教基金会が主催する「インパクト・フォーラム」で講演をなさってずいぶんと踏み込んだことをおっしゃった。

安倍　台湾海峡の平和と安定は極めて重要であるということは、菅（義偉）総理時代、バイデン大統領との間で日米共同声明の中でしっかり示されたものであります。G7における ステートメントにも、台湾海峡の平和と安定は重要であるということがありました。国際的に共有されている考え方だと思いますね。

しかし残念ながらその中で一〇月（二〇二一年）には、中国の戦闘機が台湾の防空識別圏の中にたった四日間で一四九機侵入していったという出来事もありました。中国はこの約三〇年間に軍事力を四二倍に増やし、この軍事力を背景に、台湾に対する軍事的な圧力をかけ、強化をしている。これは国際社会が大変懸念し、日本も大変、懸念しているし、米国もそうである、と。

その中でやはり、もし万が一、武力による現状変更をしようとすることによって台湾有事になれば、これは日本の有事です。与那国島など先島諸島から（台湾は）一〇〇キロしか離れていないわけです。当然、平和安全法制上の重要影響事態には間

安倍晋三（二〇二一年一二月三日放送）

違いなくなるのです。そうなれば、日米同盟の事態にも発展していくということを申し上げたんです。

こうしたことをはっきり申し上げることによって、こちらの意思を相手に示す。それは、何か偶発的な出来事、衝突を防いでいくことにつながっていくと考えるからです。何も挑発をしようということではなくて、そうした衝突に向かうハードルを上げていく上において、日本の意思を示していく。

そしてこれは台湾のシンクタンクでの講演でもありました。台湾の皆さんも、大変、心配をしておられるだろうなと思います。日本はどう考えているのかということを、発信していく必要があるなとこう考えたのです。

櫻井　端的に申し上げると、「台湾有事は日本有事であり、日米同盟の有事でもある」と安倍総理は講演でおっしゃった。これに中国側がすごく激しく反応しましたね。

例えば中国外務省の報道官は、「中国人民の譲れない一線に挑む者は誰であれ、必ず頭をぶつけ血を流すだろう」と述べました。それからまた国務院の報道官は敬称をつけずに呼び捨てにして「安倍晋三は黒を白と言いくるめる」「世界反ファシズム戦争の結果への挑戦」「国際社会は強く警戒しなければならない」と、もの凄い反応なんです。こういうのをお聞きになっていかがですか。

安倍　すでに私は総理を退任し、一国会議員として活動をしているんですが、一国会議員の私の発言に、このように注目をしていただいたことは、大変光栄だなと思っております。また、私もいままでの政治家人生で様々な批判をされています。ですからそういう批判に対する免疫力は強いですから、これからも、言うべきことは申し上げていかなければいけないなと思ってます。

櫻井　さっき総理もおっしゃったように、三〇年で中国の軍事力が四二倍ですか。それから台湾海峡に四日間で一四九機、戦闘機や作戦機も一緒に送り込んだということで、台湾海峡の緊張が目に見えて激しくなっているわけです。中国はついこの前、六中総会をしましたが、そこで習近平国家主席が、いよいよ第三期もやるだろうという

櫻井よしこ

ところに一歩踏み込んでいってしまいました。
　この第三期をやる正当な理由として、やっぱり誰も成し遂げることができなかった台湾の統合もやろうという気持ちにどうしてもなるわけです。この辺の緊張感があったことが総理が踏み込んで「台湾有事は日本有事であり、日米同盟の有事である」とおっしゃった背景ですか。

安倍　私はいまおっしゃったことを意識していたのではないんですが、ただ台湾統一をすることについて言えば、私に対する抗議のステートメントの中にも台湾を統一をするということは明確に、中国政府は述べているわけですね。そのことをご存知ない方も、結構、日本の中におられるんだろうなと思います。
台湾を統一をする、これは中国が掲げている目標です。これに対して、何か批判をする、それはやめた方がいいということについては、そういう干渉は絶対に許さないと中国は反発をする。内政干渉だと言ってくるわけであります。

私はその「インパクト・フォーラム」で申し上げたんですが、台湾はすでに民主化されてから二五年が経とうとしている。人間であればまさに大人になって、被選挙権を得る年齢に達しようとしている。いわば民主主義としても成熟をしている。その台湾が、民主主義や自由を奪われてはならないと多くの国々がそう考えているんだろうと思います。日本もそうですし、米国もそうですし、自由や民主主義、人権や法の支配を尊ぶ国々は同意をしていることだと思います。

私は「自由で開かれたインド太平洋構想」を二〇一六年にケニアのナイロビで発表しました。

インド太平洋、この広域な海が自由で開かれている。そこを人が行き交い、交易が進み、富を生み出し、その富は多くの国々を裨益する。そのためには自由で開かれていなければいけません。それを担保するものはやはり国際法であり、しっかりと執行していく。執行力の弱い国々に対しては、多くの同志国が支援もしていきましょう。そして連結性を強化していくためにインフラも強化していきましょう。それは経済の

力を多くの国々が向上させていくことにプラスになりますね。そしてまた自由や民主主義や、そうした共通の価値観を地域に広め、根付かせていきましょう。
　そういう考え方なんですが、米国も賛同して完全に共有する構想であり、ヨーロッパの国々も賛同しています。その中でやはり大切なことは、力による現状変更はしないということなんだろうと思います。多くの国々がそれを認識することが大切でしょうし、またそれをしっかりとしたものにしていく上において、台湾が国連のＷＨＯをはじめ、様々な機関に、加盟出来ることも大切ではないのかなと、そういう趣旨のことも述べさせていただきました。

戦域と戦略域の軍事力

櫻井　台湾の人たちにとっては、非常に心強い応援だったと思います。いまの台湾海峡を巡る中国の軍事力、それから台湾を守る側に立つアメリカ、台湾の軍事力、さらに有事の時には日本も関わってくるわけですね。日米台と中国と考える時、この海域での軍事的優位性は中国にあるんですか。専門家の方々は、中国の戦闘機、それからミサイルの数、基地、色々なことを考えると、アメリカ軍は足場がすごく少なく、日本は軍事力が小さい、と。台湾も頑張ってはいるけれども、軍事力は大変小さいということで、総合的なこの地域の軍事力はやはり中国が優位なんですか。

安倍　アメリカ軍としては中国と比べても圧倒的な軍事力を持っています。でもアメリカの場合は世界に前方展開をしています。この海域に集中しているわけではないですね。ですからこの戦域においてどうなっているかということなんです。

ただ世界に展開しているものを、この海域で事が起これぱここに投入していくことも十分に可能にもなります。ですから、それをどう考えるか。アメリカがどこまで本格的に対応していくかということにもよります。

その中において、この戦域にいま配備されているものだけで考えれば、日本と中国についていえば、水上艦艇や潜水艦、あるいは戦闘機について、だいたい日本の倍近くの戦力を中国が持っている。それプラス、米国の艦船、潜水艦、あるいは航空機ということになるんだろうと思います。実際に、例えば潜水艦をどれくらい配備しているかということは、恐らく米国もつまびらかにはしていないでしょうし、米国の例えば空母打撃群も、第七艦隊だけではなくて世界に展開していますから、これらが全部集まってくれば、相当の戦力にもなっていくんだろうと思います。

が、いま現在、この戦域にいる能力としては、相当中国は優勢になっているということだろうと思います。ですから、安倍政権の時に、第五世代戦闘機ともいわれているF35を一四七機配備することを決定し、配備は既に始まっています。戦闘機も、第四世代、あるいは第四世代半、第五世代と詳細に比べていく必要もありますから、いま明確に私がどちらが完全に圧倒的に有利だということは申し上げることができません。しかし、相当、中国の戦力が大きくなっている中において、私たちも努力をしていかなければならないと思います。

米国としっかりと協力できるようにするためにも、我々は平和安全法制を制定したわけです。いまや日米は助け合える同盟になっていて、米国の艦船や、航空機を自衛隊の航空機や艦船が護衛するということが実際に任務として行われている。つまり、日米同盟がしっかりとしている姿を見せることは、抑止力になっていくんだろうと思います。

櫻井　先日、アメリカの国防総省が、中国の核戦力がもの凄い勢いで増えている、二〇三〇年頃までに一〇〇〇発くらいの核弾頭を持てるようになるだろうと報告書をまとめました。しかも中国は日本やアメリカにはない中距離ミサイルを二〇〇〇発くらい持っているわけですよね。そこに一〇〇〇発の核弾頭が作られてしまったら、かなり深刻な影響がありますよね。

安倍　この戦域においてどちらが優位かと、いま櫻井さんからご下問があったのですが、たとえ戦域においてもし中国が有利だったとしても、戦略域において、例えば核弾頭の数でアメリカが圧倒していれば、やめておこうということになるんですね。大きな抑止力になります。

いまご紹介になったように、中国は核弾頭を二〇三〇年までに一〇〇〇発にするということで、いま着々と増やしています。一方、米国は、新ＳＴＡＲＴ条約（新戦略兵器削減条約）で一五五〇発に核弾頭の配備を制限されています。もっといっぱい持っているのですが配備はそれくらいになっています。

お互い一〇〇〇発を超えて、それが近づいてきますよね。一〇〇〇発と一五〇〇発で、だいたい均衡していく。均衡していくと、戦域で上回ったら冒険的なことに挑もうとするかもしれないという懸念があると専門家が指摘しています。

そして中距離弾道ミサイルは、櫻井さんがおっしゃったようにＩＮＦ条約（中距離核戦力全廃条約）によって、米国もロシアもゼロなんですね。トランプ大統領はロシアが（条約を）守っていないじゃないかと言って、脱退しましたが、ゼロだった。一方、中国は約二〇〇〇発です。一九〇〇発とも言われているのだけれども、相当の数を持っているわけです。ですから戦域分野においても変化が出てきていますが、戦略分野においても変化が出てきているわけであって、エスカレーションということではなくて、バランスさせることが大切だろうと思います。

安倍、菅政権から変わらない

櫻井　ミアシャイマーさんというアメリカの学者の方が『フォーリン・アフェアーズ』というどちらかと言うとリベラルな専門誌にお書きになったのは、米中の対立はこのままどんどん深刻化していって、対立の現場は台湾であり、沖縄であり、尖閣であり、そしてそこに核兵器が持ち込まれて、核にまでエスカレーションする危険性があるんだ、ということです。そういう議論がかなりアメリカなんかではなされている。こんなに緊迫している状況なんだということを、私たち日本人はもっと知らないといけないんじゃないかと思うんですね。

安倍　そうですね。やはり相当、緊張が高まっているのは事実ですし、中国は台湾を統一するという意思はすでに示しています。紛争や衝突は、相手の能力や意思を見誤った時に起こると言われていますから、能力を高め、意思を明確に示していくことが求められているんだろうと思います。

実際、台湾における有事はどのように起こっていくかということは、色々な議論がなされているのですが、現在は有事と平時の境目が曖昧になってきているのです。例えばサイバー、あるいは宇宙、そして電磁波という分野が、紛争や戦争の中心的なものになってきましたよね。

平時においても日常的にサイバー攻撃は行われています。日本政府の施設に対するサイバー攻撃が行われている。どこから攻撃されているか、なかなかわからないものが多いんですが、国家的な規模で行われているものもあります。そうした攻撃に対する体制を作っていく。あるいはそれに反撃できるようにしていくことも大切でしょう。

台湾に対してどのような形でということになると、米国の戦略家のルトワックは、激しいサイバー攻撃によって台湾が独立を維持しようという意思を奪う、あるいは情報戦というところからスタートするのではないかと言っていますからね。

櫻井　そういったサイバー攻撃は中国だけではないかもしれませんけれども、台湾に対してのサイバー攻撃のほとんどが中国だと思うし、わが国も中国からのサイバー攻撃を、毎日すさまじく受けていると思うんですね。このような状況の中で中国にみんなで協力しながら対峙していこうというのが、いまのバイデンさん、アメリカの方針ですよね。それに対して四月に菅さんは訪米して、一緒にやりましょうということになったと思うんですけれども、その路線を引き継ぐ岸田文雄政権の対中姿勢について、総理はどういうふうに評価していらっしゃいますか。

安倍　対中姿勢については、安倍政権、それを引き継いだ菅政権と基本的には私は変わらないんだろうと思います。それはもちろん日本の外交ですから日本が決めるのですが、日本単独で様々なことを進めているわけではなくて、アメリカと政策的な調整も行い、あるいはヨーロッパとも対話をしながら対中姿勢は決まっていく、判断をしていくわけです。その点においては、岸田政権も変わらないのだろうというふうに思っています。

櫻井　私から見ると、岸田政権は凄く甘いというふうに思うんですね。林芳正外務大臣は、一一月一八日（二〇二一年）に中国の王毅さんと電話会談をした。その時に中国側が発表しなかったのに、林さん自身が日本のテレビ番組に出演して、最初はこういうご招待を受けました、と。その同じ日の夕方の番組では、訪中の日程調整をしているると言ったんですね。外務省に問い合わせてみたら、やっぱり日程調整をしているということだったんです。

私はこれはどういうことかと、本当に思うんですよ。中国はもの凄く横暴ですし、ウイグル、香港、台湾もそうですし、わが国の尖閣諸島に毎日入ってきているわけですね。しかも王毅さんというのは外務大臣と同等ではない。中国の真の外務大臣は楊《よう》潔篪《けっち》さんでしょう。アメリカのブリンケン国務長官は、アラスカで楊潔篪さんと会った。王毅さんではないわけですね、王毅さんはついていったかもしれないけれども。

その格下の人から電話をもらってすごく嬉しくなってしまって、いそいそと中国に行こうという姿勢を示すのは、許せないと思うんですけれども、どうですか。

安倍　まず王毅外相と楊潔篪さんとの関係なんですが、政府の外交担当者は王毅さんであることは間違いないんですね、いわゆる外務大臣。一方、楊潔篪さんは党の外交の責任者です。共産主義国の特徴で、党が優位に立っているということなんですね。安倍政権においても外務大臣は王毅さんと外相会談を行いました。一方、例えば（国家安全保障局長が）谷内《やち》（正太郎）さんの時代には、谷内さんが楊潔篪さんと会う。中国の序列としては逆転しているんですが、そういうことが起こっています。

アメリカの考え方としては党と政府で分けずに、党の序列の方が上で、その外交担当者にブリンケンさんが会うということにしたんだろうと思います。それは岸田政権の時にそうなったということはないのです。

櫻井　なるほど。

岸田総理の芯は強い

安倍　それと、外務大臣という立場はどんな状況になったとしても、対話はしていくことは当然そうなんだろうと思います。対話の窓は開いている。これは安倍政権の時でもそうです。むしろ、安倍政権の時には、私が二〇一三年の暮れに靖国神社に参拝をした後、中国側は首脳会談等は一切しないと言ってきた。私は、問題があるなら会って話をしようじゃないか、問題があるからこそ話をすべきだと申し上げてきました。

ですからいま日中間にも様々な課題や問題がありますから、そうであるならば外務大臣はチャンネルをしっかりと作って話をしていく。どういう姿で会うかについては、その状況等を勘案しながら決めていくということもあるかもしれませんが、対話の窓を閉じるということは、外交上、すべきではないというふうに思います。

櫻井　私も対話はすべきだと思うのですが、どうして訪中するのですか。中国の北京冬季五輪はボイコットしましょう、という論さえ、アメリカやイギリスで盛んに出ていて、これからもっと増えると思うんです。女子テニス協会は、来年のテニスの大会は九つ、中国で予定されてるけど、これをやらないとも言いました。これは必ずオリンピックにも響いていくだろうと思うんですね。そういった時になぜ、日本国の外務大臣が訪中するのか、ここのところが私はとても解せない。

もう一つ、岸田政権の人事で、人事は政治と言いますからもう一つ申し上げると、中谷元さんが人権問題担当の首相補佐官になりましたね。中谷さんは一生懸命に山尾志桜里さんなんかと一緒にマグニツキー法というのをやろうとして、頑張っていた。これくらい激しい対中批判を、人権という意味においてはなさっていた方が、いま人権担当補佐官になったら何も言わなくなっちゃった。どうして？

安倍　それは是非、中谷さんを呼んでですね。どうしてと、私に聞かれても分からないのですが（笑）。

櫻井　本当に、そうですね（笑）。

安倍　ぜひ、中谷さんを呼んで聞いていただきたいと思いますね。

櫻井　中谷さん、もう当選一一期ですよね。岸田さんが一〇期で、中谷さんの方が先輩でいらっしゃるんだから、もっと堂々とご自分の考えを、総理大臣といえどもぶつけて、やって欲しいなというふうに私なんかは思うわけです。

いずれにしても、バイデン政権下のアメリカも、一生懸命に対中政策をやろうとしている。さっき総理からご説明があったように、中国の軍事力が非常に強くなっているいま、日本とアメリカが一緒に手を繋いでいろんな意味で努力をしていかなきゃいけない。にもかかわらず、岸田さん大丈夫かなと不安を感じることが私の側、国民の側にあるんです。

総理は中国とたった一人、位負けしないで外交をなさった方だと私は思うんですね。中国の不当な要求は、全部はね付けることを実際になさってきた。こういったことを、どうしたら岸田さんは出来るんでしょうか。

安倍　安倍政権において、岸田さんには長らく外務大臣を務めていただきました。先ほど申し上げた、例えば平和安全法制を設定した時の外務大臣は岸田現総理であり、防衛大臣は中谷元さんでありました。私と岸田さんと中谷さんは長い長い国会で、私も一〇〇問近くの質問を受けて答えたんですが、苦労して平和安全法制を制定し、そして日米は助け合える同盟になりました。なぜ平和安全法制を制定したのかという戦略的な目的についても、当然、私は岸田総理も共有をしていると思います。

ただ岸田総理は非常に私と違って温厚な人格ですから、あまり攻撃的な物言いはしない方なのでソフトに見えますが、非常に芯は強いのではないのかなと思いますね。ですからぜひ、期待して見ていただきたいと思います。

菅さんとの強い絆

櫻井　総理をお辞めになり、派閥にお戻りになって、安倍派が出来ました。凄く活気付いているような感じがしますけれども、派閥に戻るのは一〇年ぶりくらいですか？

安倍　そうです、一〇年ぶりですね。

櫻井　どんな感じです？

安倍　元々、清和会の一員でしたし、当選一回の時から育てていただいた。また私の父も、ちょうど亡くなるまで清和会の会長だったんですね。ですから、ちょうど三〇年前、いわゆる安倍派がその幕を閉じたんですが、三〇年ぶりにまた安倍派と言われるようになったということなんです。そういう意味では、私も皆さんにぜひ帰ってきてもらいたいと言っていただき、やはり気持ちとしては大変嬉しかったですね。

櫻井　安倍さん、それから菅さん、麻生太郎さん、色々な方々、同志の方々が連携して、非常に強固な政治的な基盤を作っておられたわけですが、安倍総理の二回目の退任、その後の選挙などを通じて、安倍総理と菅さんの間にちょっと隙間風が吹いたというようなことが報道されましたけども、現在はいかがですか。

安倍　そんなことは全くありません。私が昨年、持病が悪化をして、コロナ禍の中、政策をしっかりと進めていく上においては十分な体力、気力がなければならないという中で、退任をいたしました。急な退任の後、菅さんに引き受けて頂いた。私としては本当に感謝していますし、菅さんは本当に立派な仕事をされたと思いますよ。いま感染者数は、減少していますが、これは菅さんのワクチン接種を増やしていく強固な意志と、菅総理自身の突破力だったと思います。菅総理が一〇〇万回接種と言った時は、そんなの無理だろうと、みんな言っていましたよね。各省庁はあまり大きな責任を負いたくないもんだから、担当の大臣もそう言っていましたよね。しかし菅さんがそれを約束して、実際に一六〇万、一七〇万回ぐらいいったのかな。

櫻井　凄いですね。

安倍　ええ、それは凄いと思います。アメリカの接種率をとうとう追い越しました。

櫻井　あっという間に追い越してね。

安倍　私と菅さんの関係は、第一次政権を作る時に中心的に菅さんが動き、第一次政権では総務大臣を務めてもらいました。あの時、まだ菅さんは当選四回だったんじゃないかなと思いますね。私が退任した後、ずっと菅さんはもう一回、安倍さんに総理をやってもらいたいと自分は思っている、と本当にそう言い続けてくれた。二〇一二年にも、迷う私の背中をグンと押して、押すだけではなくて相当な努力をしていただいて総裁選を勝利に導いていただいた。そして総理となった後は官房長官として、まさにずっとこの仕事に人生を全て捧げたという仕事ぶりだったと思います。まさに寝食を忘れて官房長官職に打ち込んだ。

私は妻から「あなたが官房長官の時に、あんなに小泉さんに尽くした？　とてもそうは思えなかったわよ」と言われたくらい、菅さんにはやっていただいたと思っています。大変感謝していますし、私と菅さんとの人間同士、政治家としての絆は、他人にはわからないだろうと思うんです。相当強い絆で結ばれていると私は思っています。

ですからそんな隙間風なんて吹く隙間はないというふうに申し上げておきたいと思います。私はあくまでも菅総理の再選を支持すると明確に述べていました。高市（早苗）さんが出たいと言って私のところに来たんですが、私は菅さんを支持する立場だから残念ながらあなたを支持するわけにいかないと、お断りはさせていただきました。これからも、色々な場面で協力できることも多いのではないのかなと思っています。

櫻井　いまの総理の言葉は、菅前総理に聞いて欲しいなと思いながら拝聴していました。菅さん、凄くこの頃、元気でいらっしゃる。

安倍　そうですね。昨日もたまたま一緒だったんですよ。旧官邸の一部のメンバー、菅さんや萩生田（光一）さんや加藤勝信さんと、一緒に食事をしました。やっぱり総理時代、ちょっとやつれて見えましたが、大変元気な姿を見て、嬉しくなりましたけれどもね。お互い、元気になったなと言い合ったのですが。

櫻井　そうですか。菅さんはそのうち、菅派みたいなものをお作りになるのですか。この頃、二階俊博さんとも色々なことを一緒になさっていて、よく菅派の立ち上げに繋がるんじゃないかと言われていますけれども、その辺はいかがですか。

安倍　例えば「ガネーシャの会」など、菅さんを囲むグループがありますよね。結束力が、大変高いですから、菅さんがある程度の規模のグループ、あるいは派閥を作ろうと思えば、簡単に結成できるのではないのかなと思いますね。

櫻井　菅さんはでも、派閥を作ろうと思えば作れたにもかかわらず、グループでいらした。派閥を作るのにあまり積極的ではない方なんですか。

安倍　そうですね。

櫻井　ふーん。それはなぜでしょうか。

安倍　菅さんは、派閥の存在は弊害がもしかしたら多いのではないかと考えておられたのかもしれないな、と思います。ただ、いま清和会もそうなんですが、昔のような派閥が政治を壟断するようなことはほとんどないですからね。

自民党のように大きな政党では、いくつかのグループが集まって、お互いに助け合ったり、勉強して切磋琢磨していくことによって、党内の様々な秩序が守られていく。あるいは新人を育成していく上において、あまりにも人数が多いと党の組織では無理ですから、ある程度、知ったグループの中で人材を育成していく。その人の能力を把握していて、ポストに推薦したり連れていくことが、自民党の人材育成の機能、適材適所で人事を行っていく上での機能に繋がってるのかなと思います。

櫻井　昔はよく派閥がそのメンバーの教育をするということがありました。この頃、安倍総理の高い支持率のおかげで、若い政治家たちがあんまり苦労せず選挙に通ってきて、「魔の三回生」とも言われました。教育が上手くいってないからだという評論もありましたけれども、これからの派閥は人材育成という意味で、国家観を持つようにとか、政治とは何かというような教育もするのですか。

安倍　学校じゃありませんけど（笑）。選挙を通じて様々苦労します。その中でどうやって、例えば地元の方々とコミュニケーションをとっていくことが出来るか。また、政治の場で仲間を作る中において、政治力を高めていくことができますよね。そういうことを教えていくことはできるのかなと思います。政策はそれぞれ派閥といっても、みんな同じ方向に向いているわけではないんですが、仲間の中でお互いに意見をぶつけ合ったりすることもとっても大切だと思いますね。

政府・日銀連合軍で補正予算

櫻井　自民党の財政政策検討本部で、安倍総理が最高顧問になりになった。かなりの人数が集まっての勉強会で、西田昌司さん、高市早苗さん、それから世耕弘成さんの姿もあります。これはどういうものですか。

安倍　これは勉強会ではなくて、党の高市政調会長の下の本部ですが、財政政策検討本部というのが出来ました。この検討本部において、財政の在り方自体をしっかりと検討していこう、と。

いままでは財政を健全化させる、財政再建をしていくことに重点を置かれた本部はありました。そうすると議論が、やや偏りがちになってきて、緊縮的ではないかという批判もありました。いわばプライマリーバランス（基礎的財政収支）を黒字化することにのみ、血道を上げて実体経済を捨てているんではないかという批判もありました。

そんな中で、財政は果たして健全性だけで見るべきかどうか。例えば雇用にどういう効果を与えているのか。雇用をしっかりと守る上において、財政が果たしている役割は何なのか。いま行っている財政政策において雇用が守られているか、あるいは雇用が作られているかということを見ていく。そして、財政政策を行っていく上において金利がどうなっているのか、インフレがどうなっているのか、通貨の信認がどうなっているのか等を、党で評価すべきではないかという議論もあります。そういったことをしっかりと議論していかなければいけないなと思います。

例えば昨年（二〇二〇年）、安倍政権において二回、補正予算を組みました。約三〇兆円、三〇兆円で大変、大きかった。国債で五七兆円を出しました。補正予算でですよ。これはほぼ全額、政府・日本銀行連合軍でいきました。これは財政法に違反しないように、市場から買っています。

こういうことをすると、民間銀行等々も含めて民間がお金を借りようと思っても、全て国債に変わっていってしまっている、そうすると金利が上がっていく、と言われてきました。これをクラウディングアウトと言い、そうなると言われてきたんですが、それが全く起こらなかったんですよね。金利がゼロということもありますが、それは全く起こっていません。

日本銀行がコントロールする中において、金利は抑えられたままです。多くの国において、中央銀行が金利をコントロールしている。そういう中で、財政累積債務との関係において、どう考えるべきかも含めて、ファクトベースで議論していこうということになりました。

この本部には、財政規律を重視するべきだ、しっかりとPB（プライマリーバランス）目標を立ててその目標に向かって実践していくべきだという論者にも出ていただきます。面子を見ると、西田昌司さんという非常にある種、くっきりとした個性の人物が会長になったので、非常に「積極財政」じゃないかという人もいます。確かに、メンバーはそういう人が多いんだけど、論者はそれぞれ両方の考え方の人を。

櫻井　お呼びしてね。

安倍　ええ、そうですね。積極財政派の人もいれば、財政規律重視、あるいは緊縮というふうな見方も出来る人も含めて呼んで、それぞれお話を聞く。私は両論の方を呼んで、目の前で議論してもらうのが、本当は一番いいなと思うんですね。

アベノミクス失敗論への反論

櫻井　選挙の時に、野党の立憲民主党や共産党の人たちが、アベノミクスは失敗だと言う。また、国民の所得は本当は低くなったのだというようなことを、欠席裁判みたいに言っていました。総理としては言いたいことが、たくさんおありだと思うんです。国民の多くは、やはり成長を実感していたと思うので、改めてここで反論してくだされればと思うんです。

安倍　もうこれはワンラウンド、ツーラウンド、実は予算委員会でやって私は徹底的に論破した話なんですが、私はもう総理大臣として反論できない立場になったのをいいことに、野党や一部のマスコミで、またそう言っているんですね。

例えば、一番典型的な例は、実質賃金が民主党政権時代に上がったのに、安倍政権になって下がり始めたじゃないかと言っているんですね。これはもう国会でも私が論破していることなんです。

「実質賃金」と「名目賃金」があります。なんとなく語感で「名目」と言うとこれが指数なんじゃないか、実際に私たちがもらっている賃金、給料は「実質」なんじゃないかと思うんですが、これは実は逆なんですね。

櫻井　逆なんですか。

安倍　ええ。「名目」が実際に皆さんがもらっているお給料の額で、「実質」は指数でしかないのです。どういう指数であるかと言うと、「名目」、つまり実際にもらっているお給料に、物価上昇率で割り戻すんです。ですから、デフレになっていれば、マイナスに割り戻していきます。インフレ率が高ければ、割り戻す数値が大きくなりますから、当然その指数は減っていくんですね。逆にデフレであれば指数は増えていく。

櫻井　なるほど。

安倍　ですから、デフレ経済下において実質賃金が上がったというのは、デフレ自慢をしているに過ぎないんですね。実際にもらえる給料が増えてるわけではないのです。

もう一点、申し上げますと、例えば「名目」と「実質」を同じにするために、インフレ率がゼロだとします。その中で私が六〇万円の給料をもらっていたとしますね。そうすると安倍家の実質賃金は六〇万円なんですが、凄く景気が良くなってきて、片手間に、ちょっとうちの妻も短時間ずつ仕事をしようとなり、月一〇万円を稼いだとします。そうすると安倍家の収入は七〇万円なので、安倍家の収入は増えていますね。ところが、毎月勤労統計で実質賃金は平均しますから、二で割ります。すると三五万円なんですよ。

櫻井　なるほど。

安倍　下がっちゃったじゃないか、と。でも、実際は下がっていませんよね。
例えば二〇一二年、私が政権を取った年の一二月の就職内定率は六八％で、就職氷河期より悪いんです。安倍政権の時の最終的な就職内定率は九八％になりました。そうすると（給与所得者である）新卒者がどんと増えます。新卒者は給料が低いですよね。

櫻井　ええ、そうですね。

安倍　それを平均すると実質賃金は低くなります。あるいは六五歳以上で三〇〇万人が働くことが可能になりましたが、どうしても現役時代よりは給料が低い。そういう方々が労働市場に入ってくれば、それも全部足し合わせて割っていきますから実質賃金は下がっていく。女性の方々も、女性活躍で三〇〇万人、新たに仕事をし始めた。もちろん、キャリアとして仕事をして、高い給料をもらっている方もいらっしゃいますが、結婚して、出産して、しばらく経ってまた職場に復帰した当初は、どうしても給料は低かったりします。あるいはとりあえずパートから始めようという人もいますから、それを足し合わせていけば、実質賃金は低くなっていくということにしか過ぎない。

しかし、その後は、だんだんと実質においても安倍政権でちゃんとプラスになっています。大切なことは総雇用者報酬、みんなの稼ぎを足し合わせたものなんですね。

確かに実質賃金で見ると、民主党政権はデフレ下ですから、それで約三兆円増えています。

櫻井　三兆円ね。

安倍　でも、デフレ下からインフレ下に変わりました。その中において、実質で見ても、安倍政権では二〇兆円、増えています。実際にもらっている額の名目の総雇用者報酬は、民主党政権時代にはマイナス二兆円、安倍政権ではプラス三五兆円になっていますから。

櫻井　マイナス二とプラス三五。

安倍　ええ。ですから、それで見ていただければ、明らかにアベノミクスは、私は成功したと言い切れると思います。我々が政権を取る前は、正社員の皆さんの有効求人倍率は〇・五二倍なんです。二〇一二年は、一〇〇人の正社員になりたいという人に対して、五二人しか正社員になれなかったのです。しかし、二〇一九年は一・一八倍で、一〇〇人の正社員になりたいという人に対して一一八人分の正規の雇用がある。一倍を超えたのは統計を取り始めて実は初めてのことだったんです。

それプラス、正社員ではありませんが、就業者の有効求人倍率で見ても、四七全ての都道府県で一倍を超えたのも初めてです。我々が政権交代する前はたった八つの県で一倍を超えていたのに過ぎない。

これはもう何回も総理大臣時代反論していたことなんですが、いままた、どういうわけか、私が反論する立場にいなくなったらこういうことを言う人がいるので、あえて述べさせていただいております。

政治は現実

櫻井　野党は、選挙の間中、ずっとそういうことを言っていました。ずいぶんな仕打ちですわね。

安倍　今回の総選挙はまさに岸田政権として、これから何をやっていくかということを示して選挙に臨んだのですが、マスコミは安倍・菅政権を問う選挙だと言っていましたよね。

櫻井　ええ、ええ。

安倍　二六一議席と自民党は大勝したのですから、じゃあ安倍・菅政権が勝利したと、言ってくれよと。勝利した後は一言も言わなくなりましたよね。どうやら自民党が敗れそうだという時には安倍・菅政権の実績を問うとか言っていたんだけれども、どうしたのかなと。責任者、出てこいという気持ちですすよね（笑）。

櫻井　そうですよね。そして、やっぱり共産党がダメだと思いました。共産党は党の綱領を見ても、自衛隊を実質的になくしていくとか、皇室の存在もなくしていくということを事実上、言っているわけです。このような政党と立憲民主が組んで、いったいこの国柄をどうするんだという疑問があるんです。けれども、自民党が絶対安定多数で勝って、立憲民主党と共産党が惨敗しましたよね。その時、立憲民主党の枝野幸男さんは一日置いて、ちょっと遅すぎたと思いますけれども、辞任しました。それはそれで、彼らなりの責任を取ったんだろうと思うのですが、共産党は志位和夫さんが全然辞めようとなさらずに、共産党関係の新聞を読むと、あの選挙はすごく意味があった、立憲民主党との共闘も良かったというふうに無謬性を掲げるだけで反省しない。

安倍　共産党の特徴は、無謬性、Infallibility なんですよ。共産党は間違いを犯さない、こういうことなんだろうなと思います。日本の官僚も、ややそういう姿勢がないわけではないですが、ここが大きな問題点だろうなと。別に共産党が失敗を犯すことは、私もあまりとやかく言うつもりはありません。共産党が大成功を収めてもらっては、かえって国民の不幸に繋がっていくだろうと思います。

立憲民主党が共産党と共闘、組むということは、一緒にどういう日本の姿を描いてくのかを示す責任がある。特に大切な安全保障にかかわる日米安保は廃止をしていく、自衛隊もなくしていこうということなんですから。選挙の前に、ここと組むということを躊躇なくやったといってもいいと思いますね。立憲民主党の根本的な問題が今度は明らかになった。これに対して、国民の皆さま方が「ノー」と言ったということではないのかなと思います。

自民党は世論調査では大変厳しい状況だったんですが、最後の段階で、保守系の無党派の皆さんがこの立憲と共産党、麻生総理が「立憲共産党」と言っていましたが。

櫻井 凄くいいネーミングだと思います。

安倍 それに対する強い拒否感から、それを投票行動に移してくれたのではないかというふうに、私は想像しているのです。

櫻井 国の形の根幹を、別の物にしてしまうのが共産主義ですから、私は立憲民主党の方々がどうしてあんなことをやったのかなと思うんです。これからは自民、公明党の塊と、維新と国民民主の塊と、もう一つは立憲民主党と共産党がどういう関係か分かりませんけども、それが一番左のところにいる塊です。この三つの塊の中で、色んな政治が行われていくと思うんですけれども、憲法を改正して、日本がまともな民主主義の国のまともな軍隊を持たないと、さっきおっしゃっていた中国の脅威に対しても、立ち向かうことができないわけですよね。岸田首相も憲法改正をやりたいとおっしゃっているけれども、このもの凄い危機の中で、私たちの国は憲法改正をやり遂げられますよね。

安倍　そう簡単なことはないですね。残念ながら、安倍政権は八年近く続いたのですが、成し遂げることができませんでした。「与党で三分の二を取っていたではないか」ということを言われる方がいるんですが、自民党で三分の二を取っていたわけではありません。

明確に憲法を改正するという意思を示していたのは自民党だけでした。ですから友党、連立政権を作っている公明党の皆さんの理解を得て初めて三分の二になる、と。保守系の方々もそれをご存じない方も多いんですね。「なんだよ、自民党で三分の二を取っているのに」と。自民党は三分の二、衆参では取っていませんから。

三分の二の多数を形成する努力はなかなかそう簡単なことではないと思います。そこで私は、二項を残す形で九条を改正し、自衛隊を明記し、自衛隊の違憲論争に終止符を打つ。それが私たちの世代の責任だと決断をしました。

政治は現実ですから、立派なことを言っていても、零点じゃしょうがないですよね。ですから一〇〇点は難しいんですが、なるべく、政治の世界ではそれに近づけていく努力はしなくてはいけないという中において、四つの項目を示させていただいた。

幸い維新も国民民主党も、憲法改正については理解を示し始めています。どういう項目かについても議論するんでしょうけれども、やはり九条の改正。安全保障環境がこういう状況の中にあり、国のために、国民のために命をかけるんですから、彼らにとって大切な名誉、基本法にちゃんと自衛隊の存在を明記する。世界中どこでもそうですから、それをしっかりと実行していく。そのために岸田さんはしっかりと頑張ってもらいたいと思います。国民的な皆さんの支持も必要ですけれどもね。

配備は私たちの決断だけ

櫻井　国の体制として、わが国を本当の意味で守れる状況にもっていかなくてはいけないわけです。岸田さんも、それから安倍総理も憲法改正に向けて努力してくださると思うんですが、現実に目の前に、中国が脅威を示しています。この中国からわが国を守り、台湾を守るために、第一列島線の守りをちゃんとやりましょうという議論が、いま出ています。ここに中距離ミサイルを配備して、できたらそこに核兵器も配備しなければいけないんだというのが専門家の考えですけども、わが国が憲法を改正するのを待っていたら、間に合わないです。

安倍　憲法改正して、それが出来るようになるかというのではなくて、いまでもできますから。

櫻井　いまでもできます？

安倍　いまでも。我々が掲げている憲法改正、九条は自衛隊の明記です。いわば違憲論争に終止符を打つ。いまでももちろん、持っていただいていますが、自衛隊が本来持つべき誇りをしっかりと、憲法上、明確にしていくということです。

実際の装備、配備については、予算の問題と私たちの決断の話だけだろうと思いますよ。

櫻井　この第一列島線の守りについて、中距離ミサイルの配備もしますかと言ったら、総裁選の四人の候補者の中で高市さんだけが、是非とおっしゃってくださったんですけれども。

安倍　中距離ミサイルの配備については、私はちょっとそこは高市さんと違うところなんですが、米国のミサイルの配備に頼るのではなくて、ここはすでに一二式のミサイル、三菱重工のミサイル配備を決めています。これは射程九〇〇キロですから伸ばすこともできます。航空機にも載りますから、もっと射程は長くなりますね。その意味において、これはスタンドオフという形で配備をすることになっています。

櫻井　日本製のものになるわけ。
安倍　三菱重工です。これはすでに配備を決めています。活用の方法として明確に打撃力、反撃力を持つということを決定する中において、ミサイルの使い方の問題です。いまはスタンドオフミサイルという形で配備をしていくことになるんですが、これは地上からも発射できますし、自衛艦からも発射できますし、航空機からも発射できるようになります。射程も伸ばしていくこともできるんだろうと思います。また別に、ノルウェー製のＪＳＭとか、他のミサイルもあります。
これはいま購入に様々な課題ができてきたんです。スタンドオフミサイルというのは射程一〇〇〇キロに近いミサイルで、中距離弾道ミサイルというのは五〇〇〇キロからです。この一二式型は弾道ミサイルではなくて、巡航ミサイルではありますが、当然、打撃力としては活きていくものを実際にもう配備をしていきます。
櫻井　それはいつ頃から始まるんですか。
安倍　すでに予算は今年度からついていると思います。いつから具体的に配備するかどうかはわからないんですが、開発とあわせているのかもしれません。
櫻井　なるほどね。私は非核三原則の見直しもやっぱり必要なんだろうというふうに思います。国民で議論をして、そこに踏み込んでいかないと、一〇〇〇発の核弾頭を持つような中国に対する抑止力にはならないだろうと思うんですが、この議論は必要ですよね。

安倍　ただ、中国が核を使えば、同盟国の拡大抑止として米国は核による報復をする。これはまさに核の傘が日本にかかっているわけであります。それがかかっている限りは、中国は極めて危険なその領域には、私はそう簡単には入ってこないと思います。

先ほど申し上げたように、いまの段階では戦略分野においては米国が圧倒的な優位ですから、そうならないんだろうと思っています。ただ、二〇三〇年までにどうなっていくかということと、中距離弾道ミサイル問題についてお話をされたのですが、それについては、わが国の能力を高めていくことが大切だろうと思います。

櫻井　最後に、若い人たちは圧倒的に安倍総理を支持する人が多いんですよ。その安倍総理を支持する若い人たちにも、また支持をまだ決めてない人たちにも、次の世代の日本人にどういうことをして欲しいか、また国としてどういうことをしてあげたいか、わが国の、近未来の国の形を思いながらちょっと話していただけますか。

安倍　最後ですね。

櫻井　はい、最後。

安倍　若い皆さんと私はよく話をするんですが、私たちの若い頃よりもいまの若い皆さんは、何か世の中のために立ちたいと、もの凄く考えている人が多いんです。人生観においても立身出世みたいなことはあまり考えずに、自分が世の中のために役立つ、そういう人生を送りたい、そのことによって認められたいと思っている人が多いんですね。

ですからやっぱり、日本の未来は明るいなと思いました。そういう皆さんにとって、能力を活かすことができる、チャンスのある、そして常に開かれている社会を作っていきたいなと思います。

（二〇二一年一二月三日放送）

第五章　日本の国家意思を

一〇年、全力を尽くしてきた

櫻井 言論テレビは今夜（二〇二二［令和四］年五月二〇日）で五〇〇回目を迎えました。皆さん、本当に、この長い年月、見てくださってありがとうございました。応援もたくさん、いただきました。ありがとうございました。そこで、今日のこの記念すべき五〇〇回の日、特別のお客様をお迎えしております。元内閣総理大臣の安倍晋三さんです。こんばんは。

安倍 こんばんは。よろしくお願いします。

櫻井 よろしくお願いいたします。実は、一回目の放送が二〇一二年一〇月二六日なんですが、その時のお客様が安倍総裁だったんですね、当時の自民党総裁です。そのＶＴＲを、二分ちょっとなんですけれども、見てくださいますか。

櫻井 皆様、こんばんは。櫻井よしこです。毎週金曜日夜九時、私のオフィシャルサイトからお伝えいたします。「櫻ＬＩＶＥ　君の一歩が朝《あした》を変える！」です。日本を取り巻く情勢、本当に厳しいものがあります。こうした中で情報と問題意識をあなたと共有して、一緒に日本を良い方向に変えていきたい。そんな思いの番組です。

記念すべき第一回の今日は、すばらしいお客様をお招きしました。自民党総裁の安倍晋三さんです。本当によくおいでくださいました。

安倍　どうぞよろしくお願いします。

＊

櫻井　中国はやはり歴史を捏造する国ですよ。靖国神社の問題でも、戦後四〇年まではいわゆる「Ａ級戦犯」と言われる方々のことも何も言わなかったわけですよね。

この中国に対してどう対処していくか。今、尖閣問題もあります。安倍さんが総理大臣になられたら、もしくは自民党総裁としても、中国とある意味で良い関係、ある意味できちんと対等に渡り合っていくか。

安倍　台頭する中国とどう相対していくかということは、日本だけではないと思いますけれども、外交上、安全保障上、今世紀の最も重要な課題だと思いますね。そして、今、何をすべきかというと、まずは日中関係を考えるときに日本と中国だけの関係を見るのではなくて、地球全体を俯瞰しながら、戦略を構築していく必要があると思うんですね。

まずは日米同盟を信頼関係のある同盟として再構築していく必要があります。

ですから、私は総理になったら、当然、日米首脳会談を一番最初に行って、日米関係は回復したと、強い日米同盟が戻ってきたということを内外に示していく必要があります。そしてそれと同時に、ASEANの国々、またインド、オーストラリア、そういう国々との関係を強化していく上において、中国との関係をどうしていくか、対応していくべきだろうと思いますね。

櫻井 総理、お若いですね。

安倍 そうですね。一〇年前ですから。

櫻井 この一〇年の間に、総理がおっしゃったこと、全部実現なさいましたよね。

安倍 はい。

櫻井 地球儀を俯瞰する外交、それからインド太平洋戦略、クアッド（日米豪印の協力枠組み）、TPP（環太平洋戦略的経済連携協定）、見事な一〇年だったというふうに思います。

安倍 ありがとうございます。一〇年前になくていまあるものは、例えばNSC（国家安全保障会議）ですね。当時はNSCもありませんし、国家安全保障戦略もなかった。ですからアメリカの安全保障担当補佐官のカウンターパートも事実上、いないという

安倍晋三（二〇二二年五月二〇日放送）

ことだったと思います。現在はNSCがあって、外交、そして軍事、防衛、情報、これを集約する司令塔が出来たということなんです。そしてそれを進めていくために、秘密が守られなければいけませんから、特定秘密保護法やテロ等準備罪等がしっかりと出来上がったというふうに思います。

何と言っても日米同盟を、平和安全法制によって、助け合える同盟に出来た。集団的自衛権の一部行使容認を認めた平和安全法制の土台があって、助け合えるという関係が構築されたと思います。

櫻井　国家の基盤をつくることを成し遂げたという感じがします。

安倍　はい。そういう意味においては、この一〇年間、やるべきことはやったな、と。まだまだ、もちろん、不十分な点はありますが、全力を尽くしてきたという気持ちはあります。

櫻井　そうですね。この前、総理の政策研究グループというのですか、いまは派閥とはあまり呼ばないのですか？

安倍　派閥とも言いますけれどもね。

櫻井　そうですか。つい最近ですけれども、「清和政策研究会との懇親の集い」というものにおいて、安倍派が大々的なお披露目のパーティーをなさいました。その時に、

櫻井よしこ

岸田総理とグータッチをなさったわけですね。私はこういう派閥のパーティーにあまり行ったことがないのです。行ってみて、やっぱり政治は、よきにつけ悪しきにつけ、ファイティングスピリットがないとやっていけないという感じがしました。そんなものですか。

安倍　そうですね。他の派閥のパーティーにも呼ばれて行くのですが、呼ばれていって挨拶をする時は、やっぱりアウェイ感があるのです。そこで、どういう政治的メッセージを発するのか、あるいは相手のグループが、どれくらい勢いがあるのかというのを見に行くというのもあると思います。ですから、お互い、そういう意味においては、ある種の緊張関係で切磋琢磨し合うということだと思います。

櫻井　もの凄く勢いがありましたね、安倍派のパーティー。

安倍　おかげさまで、たくさんの皆さんにお集まりいただいて、メイン会場以外のモニターで見ていただく会場も、一杯になりました。大変感謝したいと思いますし、これで来るべき参議院選挙に対する財政基盤も出来ました（笑）。

櫻井　なるほど（笑）。

安倍　しっかりと闘い抜いていきたいと思います。

積極財政は正しい

櫻井　その時に、安倍総理がお話しになったことの一つに、非常に重要な経済の問題がありました。自民党の中には、財政政策をめぐる二つの組織といいますか、研究会があります。

一つは「財政健全化推進本部」です。岸田総裁直結、額賀さん（額賀福志郎元財務相）が本部長で、麻生さん（麻生太郎副総裁）が最高顧問の財政再建派。

もう一つは「財政政策検討本部」。安倍総理が最高顧問で、西田昌司さん（参議院議員）が本部長を務めている積極財政派です。

経済はもの凄く重要で、かつては言われなかったような「経済安全保障」という言葉も使われるようになった時に、安倍総理がいままでなさってきたアベノミクスの路線を続けていく必要があるんじゃないか。いまどういうふうになっているのですか。

安倍　財政健全化推進本部はすでに提言をまとめて、提出をしています。財政健全化推進本部は、昨日（二〇二二年五月一九日）、取りまとめて議論をすることになっているということなんです。

西田本部長の財政政策検討本部は、アベノミクスに対する評価については、財政健全化推進本部で最高顧問の麻生太郎さんは、副総理、財務大臣として一緒にアベノミクスを進めてきましたから、ここでそれを否定するということはあり得ないのです。が、アベノミクスについての評価はしつつ、今後は、三本の矢の政策は大体包含していますから、これ以外はあまりないのですが、この上に岸田総理の新しい資本主義的なエッセンスを入れて、恐らく最終的な取りまとめをしていくんだろうと思います。

櫻井　この前の安倍派のパーティーのスピーチでは、まず、デフレ脱却がもの凄く重要なんだとおっしゃいました。そのためには経済成長が大事なのであって、その後に結果として、健全な財政が成り立っていくのだ、この順番を間違えてはいけませんとおっしゃった。私は安倍総理による一つの鋭いメッセージかなと思いましたが、その辺はいかがですか。

安倍　まずは経済成長を達成していく。安定的な成長軌道に乗せながら、経済が成長すれば、名目GDPは上がっていきますから、当然、税収も上がっていきます。税収が増えていくことが財政健全化に資するのは当然のことだろうと思います。

家計に例えて話をすると国民的に分かりやすいので、そういう話をする人がいるのですが、それは間違っているのですね。家計と国の財政は別です。統一政府という考え方もありますが、政府は日本銀行と共に貨幣、通貨を発行出来るのです。家計は、一般の方が、櫻井家で貨幣を造ったら、それは偽札ですから。

櫻井　そうですね。大変なことになる（笑）。

安倍　これは大きな違いです。その中でマクロ政策を推進していくのが、まさに国の財政であり、国の経済運営で、家計とは違うところなんです。

家計的には、お父さん、お母さんが稼いできたお金で、みんなで使う一年間分の費用は賄えるようにしなければいけない、将来の子供たちの学費も考えて、貯金もしていきましょうという考えです。が、国全体の財政運営は違いまして、例えば国、あるいは企業部門が投資超過、いわばお金を超過して出している分、借金をして出している分は、どこかの貯蓄に回っていくのです。ですから、例えば国の投資超過、財政赤字は、民間部門の貯蓄にかわります。それは企業部門だったり、あるいは家計部門だったりするのですね。

我々が進めている政策は需要をどんどん作っていく。そのために呼び水的なものも含めて、企業が安心して投資が出来るように国がまずドンとお金を出していけば、企業もお金を出していく。両方が投資超過になっていけば、その分、家計が貯蓄超過になっていく、家計が潤っていく。これは一番、あるべき姿になっていきます。

そのためには、時には思い切って政府が投資超過、つまり借金をしてお金を出していくことが必要です。ある程度、それが続いていったとしても、税収が昨年よりも今年、今年よりも来年と増えていけば問題がない。ＧＤＰ比の累積債務の比率が縮小していけば、そういう経路に入っていけば、財政的には問題ないと見るべきだというのが、私たちの考え方ですし、正しい考え方だと思います。

国債七〇兆円でびくともせず

櫻井　国の借金と、家庭の借金は性格が全く違うということですね。
その関連で、総理が大分県の講演で、日銀が政府の子会社なので、六〇年国債の満期が来ても返さないで借り換えて構わないと言ったことが、凄くネットで批判されている。安倍総理のご説明は、別に子会社だと、日銀を見下しているわけでもなんでもなくて、国の財政、金融の仕組みをおっしゃっただけなんですよね。

安倍　そうですね。私は、いつの講演でも、もうちょっと長い時間があれば丁寧に説明する時もあり、多くの記者が聞いて大体納得していますので、記事にしていなかったのです。が、あの時、たまたま時事通信の地方の方が、書いたんじゃないかな。いままで聞いてなかった人が書いたものですから、よく分からないで書いたらしいのです。

私が申し上げたことは、当然、分かりやすく話をしますから、比喩的に話をしたのです。分かりやすく言えば、まず国が日本銀行（日銀）に五五％の出資をしている、株を持っています。同時に、国が国債の利払いをしたものは、経費を取り除いて、基本的には日本銀行は政府に納付するのです。こういうファクトを前提にしています。また、日銀の総裁や審議委員も国会、政府の中でどういう人にしようかと決めながら、形式的には国会で決めていきますね。

ですから、そのことも踏まえて、日銀は政府の子会社のようなものだと、統合政府的な考え方の基にお話をしたわけですね。

財務省も「子会社ではない」という答弁をするのだけれども、「会社法上の子会社ではない」ということでしょう。日銀は日銀法上の認可法人で、会社法上の存在じゃないですから、「会社法上の子会社ではない」のは当たり前のことなんです。ですから、比喩として使ったことは決して間違っていないというふうに思いますけどね。

櫻井　国家の経済は財政だけではなくて、金融にも大きく影響されるわけで、金利や色々なもの、どれだけの国債を発行するのかということと表裏一体ですよね。

安倍　そういうこともあって、安倍政権が出来る前は全て日本銀行に任せていたのですが、それはやはりおかしいなという考え方の下で、私も統合政府的な考え方を持っておりますので、政府と日本銀行はアコード（共同声明）を作ったのです。日本銀行は二％という物価目標に向けて、あらゆる金融政策を行っていくというものです。具体的な金融政策においては、日本銀行に任せますよということはずっと私は申し上げているとおりなんですが、目標の設定はまさにアコードで、政府と日本銀行が共有をする必要がある、と。

デフレ脱却をしていくという目標を政府が強く考えて、そういう方向において、私は黒田（東彦）さんを（日銀総裁に）選んだわけなんです。その上において、具体的な政策手段は彼らが選んでいくのは当たり前のことであろうというふうに思います。

櫻井　清和政策研究会でおっしゃった、デフレからの脱却が大事なのであって、そのために経済成長をしなくてはいけない、その後に健全な財政の規律というものが戻っ

てくるという この順番が凄く大事だと思うのですけれども。

安倍　デフレ下において、財政健全化は出来ません。デフレだと税収は増えませんからね。ですからまず、デフレから脱却をするための金融政策であり、財政政策であり、経済を成長させていくということなんですね。成長率が、国債の金利を上回っていれば、基本的に財政において借金が発散しているということにはならないんですよ。

ＰＢ（プライマリーバランス）についていえば、それは出来る限りコントロールしなければいけませんが、ある程度のマイナスであったとしても、成長率がしっかりと金利を上回っていれば、債務残高のＧＤＰ比はだんだん縮小に向かっていくということになります。これは間違いないです。ドーマー条件というのですが、基本的には、成長率が金利よりも上回っているという状況を作っていくことの方が大切なんですね。そうであれば、ＰＢがどうであれ、どこかの時点で必ず収束するんですね。

なるべく収束するポイントを下げた方がいいので、あまりＰＢを連続して大きな赤字にしてはならないのは当然なんです。しかし、闇雲にＰＢを黒字にしようとすると、ギリシャやアルゼンチンもそうなのですが、歳出をどんどんカットするのですね。歳出をどんどんカットすれば、成長はガクンと落ちてマイナスになって、失業者が溢れ、税収はガクンと落ちて、経済は腰折れして、立ち上がれなくなってしまうかもしれないのですね。

ですから、ＰＢを黒字にさえすればハッピーということではなくて、大切なことはあくまでもしっかりと経済を成長させていく。

二〇二〇年に、コロナ禍に襲われました。そこで大変な状況になるということの中において、我々は国債七〇兆円を発行しました。そしてそれは、もちろん直接買うことは出来ないんですが、市中銀行を通じてほぼ全部、「政府・日本銀行連合軍」という言い方をしたのですが、日本銀行に買ってもらいました。

結果、どうなったか。当然、ＰＢはドンと悪化しました。そうすると市中金利が上がっていく、とずっと言われていた。これを「クラウディングアウト」というのですが、国債をたくさん発行して買ってもらうと、市中銀行は集めている預金をそっちに振り向けなければならないので、一般の企業に貸し出すお金が足りなくなってくるから、金利が上がっていくという考え方なんですね。これはずっと言われていたのですが、それは起こりませんでした。それを起こさないということを、我々がまさに初めて証明したんじゃないかなと思うんです。

日本銀行に全て買っていただいて、金利はびくともしていない中において、翌年、経済はしっかりと戻って、税収は、過去最高になったんですよ。ですから、ここでＰ

Bが大きく赤字になることを躊躇していては、国の財政政策として誤る。だからカレ[＊櫻井注]ンダーベースでおくのは適切ではないというのが、私たちの主張であります。
ただ、まだこれは主流的な主張にはなっていないので、よく検証していこうということでは、二つの本部も考え方が同じになった。私は大きな進歩だなと思っているんです。

ケチってはいけない

櫻井　国民の立場から見ると、経済って凄く重要な要素で、若い人が就職できるのか、結婚するだけのお給料がもらえるのかとか、そういったことに直接、繋がってきます。経済をきちんと成長戦略の上に乗せて欲しいなと。

安倍　ですから、近視眼的に考えてはならないです。大きくマクロ政策を管理しながら、もちろんミクロ政策では、しっかりと競争力がつくもの、生産性が高いもの、将来、発展していくという分野に投資をしていくことは当然なんです。しかし、絶対額については、経済を持続的に成長させていくために必要な額は出していく。これは間違いないんだろうというふうに思います。

櫻井　ちょっと油断すると、財務省が凄く力を発揮して、財政健全化と言い始める。

すると、いままでの路線からちょっと外れる危険性があるなと思うんですが、そこは。

安倍　例えば、一月‐三月四半期（二〇二二年）のＧＤＰについては、前期比でマイナス〇・二％、そして年率でマイナス一％になりました。寄与度を見ていきますと、内需は割と投資が堅調で、プラス〇・二だったんですが、外需がマイナス〇・四になってしまった。これは輸出に対して輸入がドンと急速に増えたのです。

この大きく増えた輸入は何か。もちろん、石油も上がっているのですが、大幅に増えたものはワクチンとお薬なんですね。特にワクチンです。もしこのワクチンが国産だったら、当然、プラスになっているわけです。政府の支出だけでプラスになっている。が、これが外に出ていってしまっているから、この分、マイナスになっている。もし国産であれば、政府が出したお金で日本の企業が利益を得て、それが税金に戻ってくるわけです。ですから、例えばワクチン戦略において、ワクチンのために研究開発にドンと支出をするということをケチったら、結局。

櫻井　ケチったらいけない。

安倍　ということなんですね。出す時には出すということが大切だと。それが将来の成長に繋がっていくことに他ならない。全体にどのくらい出していくかと同時に、何に出していくか。これは合わさって、間違いなく将来の成長、あるいは将来の税収増、国力に繋がっていくと思います。

櫻井　そこは自民党の中で大いに前向きに議論をして、積極財政、どんどんやっていただきたいなと。

「継戦能力、ありませんから」

安倍　特にその中で、防衛費についてですね。

よく防衛費を二％と言うと、そうではなくて「積み上げなくてはいけない」という議論をする人がいるのです。だから私は、「積み上げなくてはいけない」という議論をするのは、まるで（財務省）主計局の主査レベルの小役人的な発想で、政治家がそんな話をするのは安全保障論の中で国家戦略というものがストンと落ちてしまっていると言うのですね。政治家がそんな話をするのは残念なんです。

防衛費一％は、積み上げていって一％になったんじゃないですよ。一％という予算制約の中でベストを、なんとかしようとしているんですね。

この二％は何か。NATO（北大西洋条約機構）、三〇カ国（当時）ありますね。一カ国の例外もなく二％に、コミットしているのです。二％を達成していこう、と。達成している国もあれば、達成について明確な道筋を示している国もあります。ドイツのように基金をドンと作って達成していく。

お互いになぜGDP比で約束をしているのかといえば、それぞれの国の経済力に見合った責任を果たしていくということなんですね。責任を果たしていく、責任目標を共有していく、そこに向かって進んでいくということでお互いが信頼関係を構築していて、いざという時にお互い助け合える関係になり、それが同盟の紐帯になっていくのですね。

つまりそれは国家意思なのです。だからこそ日本が今度、五年で二％達成、これは国家意思なのですよ。その国家意思を示していく中において、どのように使っていくか。これ、積み上げなんていくらだってあるんですよ。積み上げをどうのこうのと言っている人たちは、じゃあいま積み上げてるのは十分なのか。これは全く十分ではありません。

弾は、機関銃の弾から、ミサイル防衛のSM3に至るまで、ほとんど十分とは、残念ながら言えません。これは防衛上の弱みになりますから、総理大臣の時も言えなかったのですが、この際だからハッキリと言わなければいけないと思います。

継戦能力、ありませんから。

ミサイルを撃ちだすものはあったとしても、中に弾が入っていないという。

櫻井　ミサイルが足りない、弾が足りない。

安倍　ええ。それはもう、全然、足りないです。

櫻井　どのくらい足りない。

安倍　どのくらい足りないというのは、これはなかなか、相手に知られることになるとまずいですから言えませんが、とにかく、全然足りないです。五兆円の防衛費がありますが、五兆円のうち二兆円は人件費ですね。大切ですけれども。そして一兆円は、修理、維持費です。これでも不十分ですがね。そして五〇〇〇億円は、基地対策費ですね。

三・五兆円、そっちにいっちゃうのです。

防衛装備品、武器調達は八〇〇〇億円。意外と少ないのです。

櫻井　少ないですね。

安倍　研究費は一六〇〇億円ですから、全然、少ない。

櫻井　吹けば飛ぶような。

安倍　国全体では四兆円、研究開発にお金を確保しているのですが、学術会議等の反対もあって、国立大学等で研究できませんから、そういう色々な制約で、こうなってしまっているのです。が、思い切ってそこにお金を今度は付けなければいけません。

サイバーや、あるいは電磁波、宇宙という領域になりましたから、この分野に思い切ってお金を出す。そこから、いろんな研究機関で、継続的にずっと研究費は付けますよといえば、たくさんの学者が参加してきます。それが大変大切です。

これは消耗費ということに多くはなっているのですが、特に装備品、あるいは研究開発は将来への投資で、いろんな成長に繋がっていきます。

アメリカの防衛費は一〇〇兆円ですからね。

櫻井 そうですよね。

安倍 アメリカの防衛費一〇〇兆円が、アメリカ経済の足かせになっているか。逆ですから。

櫻井 世界一の経済大国ですもの。

安倍 ええ、この一〇〇兆円は、そのエンジンの一つですね。特に研究開発ですよね。DARPA（国防高等研究計画局）という研究開発の組織が軍にあります。例えばここからインターネットは生まれ、GPSも生まれ、AIについても様々な研究成果が出ています。まさにアメリカのいろんな分野における先端技術を生み出す大きな支援になっています。そしてそれがアメリカ経済の、いまや大宗《たいそう》を占めていっていると言っていいと思います。インターネットの世界において、アメリカが世界をリードしていますよね。ＧＡＦＡ（グーグル、アップル、フェイスブック、アマゾン）もそうなんですが、その結果のＧＡＦＡですからね。

ですから、そこは我々も、思い切って投資をしていく。例えば建設国債は、赤字国債ではありません。なぜ赤字国債ではないかといえば、橋を作ったり、道路を作ったり、いろんな設備を作って、孫子の代に大切なインフラを引き渡していくための予算だからです。

防衛費は何かといえば、祖国を次の世代に引き渡していくための予算なんですよ。ですからやるべきことはしっかりとやっていく必要があると思います。

この防衛費を増やさなければいけないという時に、「どこから削るんですか？」という人、よくいますよね。削る必要はありません。これは国債でいいのです。国債でしっかりと賄っていけば、私はいいと思います。

櫻井　防衛国債という。

安倍　そういうことですね。

日露戦争も弾がなかった

櫻井　でも、そんなことを言うとすぐに反対する財務省等がいて、やっぱり、健全な財政のバランスの中でやらなければいけないという意見が出ます。この財務省的な考え方は、意外と岸田政権の中に浸透しているのではないかと思うのですね。この前、岸田さんに、『週刊新潮』の連載一〇〇〇回の記念でインタビューをしたら、やっぱり二％という数値目標ではなく、積み上げがよろしいというふうなことを、ずっとおっしゃっていました。

安倍総理は二％は国家意思の表明ですよとおっしゃった。NATOがみんな二％で、いま、それぞれの国が国力を強くして、プーチン的な、専制主義的な力によって他国の領土を奪うような戦略に対抗しなければいけない。そんな時に、日本だけが積み上げ方式。じゃあ積み上げ方式で三％、四％にいくようなことになったら、絶対に削るわけですからね。日本の国家意思の表示というものが、本当に大事ですよね。

安倍　「積み上げ」という人は、申し訳ないのだけれども、基本的に安全保障が分かっていない。

櫻井　分かっていない、はい。

安倍　全く分かっていないと言わざるを得ないんです。

防衛努力とは何か。例えば中国が二五兆円使っているのですから、それに対抗するためには二五兆円にしなければいけないじゃないですか。でも、そういうわけにはいきませんよね。そうすれば防衛費はＧＤＰの何％にもなってしまいますから、そういうわけにはいかないんですすよ。自ずと制約の中でベストを尽くしていこうということなんです。

ですから例えば、明治政府で富国強兵が始まった時に伊藤博文さんが、「じゃあ、大砲は何本必要なんだ」という話をされたという人がいます。でも、そうやって積み上げていったものではなくて、あの時も必死に努力をしながら、防衛力を強めていったのです。

例えば日露戦争をやった当時も、実は弾だって全然足りなかったのですよ。乃木（希典）将軍は旅順攻防戦をやりますね。旅順を攻略していく時に、弾の数が実は足りないのです。その後、大きな奉天会戦等を控えていますから、使える弾は相当限られちゃったんですね。代わりにどうしたかと言うと、肉弾戦なんですよ。一方的に乃木将軍は非難されましたが、弾の制約があったので、しょうがなかったわけです。そういう制約の中で頑張っているわけですよ。積み上げていれば、十分あったはずじゃないですか。

今度も弾がないのですから、積み上がっていないのですよ。積み上げているといっている人の意見が聞きたい。その人は弾がないことを知らないのです。

櫻井　なるほど。

安倍　恐らく。ＮＳＣに恐らく出ていない人なんだろうと思います。弾がないことを知らないから、そういうことを言っているのであって、弾が全然、不十分なんですから。いままで積み上げていって、十分なのかと言えば、全く十分でない以上、まさにこの二％は国家意思であり、責任目標なんです。

例えば、自衛隊の隊舎なんか、もうボロボロですよ。

櫻井　大変可哀そうな状況ですよね。

安倍　後回しにずっとされてきたじゃないですか。「積み上げ」とか言っている人に、あんた、積み上げてないじゃないかと、私は言いたいですよね。

櫻井　ええ、ええ。

安倍　ですから、積み上げていると言っている人は、全然、防衛予算の中身を知らないと。厳しく言いますけれども。

常に予算制約があるんですよ。今度は二％が予算制約ですから、その中でベストを尽くしていこうということに過ぎないと思います。本当に「積み上げ」と言っている人たちは、分かっていないなと。繰り返しになりますけれども。

核報復「相談するかも」

櫻井　安倍総理は言えないでしょうから私が言いますと、岸田さんとのインタビューをして、岸田さんは防衛が分かっていないないなと感じました。

そう申し上げるもう一つの理由は、ウクライナ戦争の中で、具体的に核が使われるのではないかということが、いま懸念されていますね。この前、小野寺五典さん（元防衛大臣）がゴールデンウィークにアメリカに行ったときのことを聞きました。プーチンがもし、決定的な勝利を得たいために戦術核を使うと仮定して、その時にアメリカはどう対応するのか。「ウクライナさん、頑張ってね」だけでは済まないだろう、と。アメリカが本当に核をもって報復するようなこともあるやもしれない。その時に、アメリカは一人では決断しませんよ、と。同盟国の日本や、当事国のヨーロッパ、NATOの国々と相談しますと言われたんだそうですよ。小野寺さんはどういうふうに答えていいか、分からないわけですけれども。

具体的に核が使われる危険性が目の前にあって私たちの国はまず問題をどう整理したらいいのか。どっちの方向にいったらいいのか。いきなり聞かれても日本人はわからない。

安倍総理のお国の英雄である吉田松陰先生は凄かった。例えば岸田さんは凄く色々なことを理念として、抽象的にお話しになるのです。でも松陰先生は理念的に話すだけではなく、現実に起きている問題に引き付けて、答えを出していって、その答えを出すのにもの凄い議論を、塾生とやったということが本に書かれてありました。いま日本は非核三原則、アメリカの拡大抑止というだけで、おまじないのようにこの二つの札を身に持って、それで議論が向こうに逃げて行ってくれるという時代じゃないと思うんですが、どうですか。

安倍　小野寺さんがアメリカに出張した際、いまご紹介いただいたように、もしプーチン大統領が戦術核を使った場合、アメリカがそれに対して戦術核で報復するかどうか、その際、NATOだけではなくて、日本にも相談するかもしれないという話があったわけです。この「相談するかもしれない」は、何を意味しているのかを考えないといけないと思うのです。戦術核を使っても、数千人、場合によっては万を超える人たちを、一瞬のうちに殺害するわけですよね。

櫻井　そうですね。

安倍　殺害する。その責任を分かち合え、と言っているわけです。「アメリカが決定してやったのだから」ということではなくて、「分かち合いましょう」ということなんです。なぜ日本にもそれを言ってきたかと言えば、日本に対して拡大抑止「核の傘」を貸しているのはそういうことだ、ということだと私は思います。現実から目をそらすなということでもあるんだろうと思いますね。

核の世界は、もうアメリカに任せっきりで、実際に核を使用するのはアメリカということであれば、その使用した結果について日本が全く責任がないのか、というようになってしまうのです。ですからそこで共同責任でやっていこうということだと受け止めなければ、私はいけないのだろうなと思いますね。

櫻井　そうですね。これは長崎大学の資料なんですけれども、いま小型核、戦術核は、ロシアが圧倒的に多くて一八六〇発もあるそうです。アメリカはＮＡＴＯに配備しているのが戦術核で約二〇〇発、国内には二五発しかないんだそうです。二五発なんていうのは、事実上ゼロで、中国はいまはゼロだけれども、戦術核を猛烈に作り始めているのではないかという見通しです。

そうすると、いまロシアが圧倒的に戦術核の数では強いわけで、もしロシアが本当にウクライナで戦術核を使った場合、こちら側が「アメリカさん、お願いします」というのか。アメリカがＮＡＴＯとお話ししてどうするのか。もしアメリカが躊躇ったら、戦術核を使った者が勝つという世界にもなり兼ねない。

逆にいまは総理がおっしゃったように、一発の核で、たとえ小さくても何万人という犠牲者が出ることも十分あり得る。私たちはこのような恐ろしい局面に住んでいる。どうやってこの核を使わせないようにするか。使われた場合に、一体、どういうふうに対処するか。具体的に考えないとダメですよね。

安倍　北朝鮮の核実験は、いままで出力の大きなものだったんですが、今度はまさに小型核の実験をするのではないかと言われています。極めて危険なことですよね。

小型核は戦略核と違って、出力の大きさからいって実際に戦いで使える可能性があると言われている核です。ですから我々はその脅威から日本をどうすれば守れるのかということを考えなければいけないと思います。

非核三原則についていえば、沖縄返還の際に、当時、佐藤（栄作）内閣なのですが、答弁と付帯決議において、沖縄返還に伴う条約等についての国会対策として対応したものと言われています。米国の立場に立って考えると、米国は「核の傘」を提供しているわけですね。「核の傘」を提供しているというのは、日本が核攻撃をされた際にはアメリカが報復をする、だから懲罰的抑止力となって相手は攻撃をしない、こういうことになっています。

が、相手が、果たして本当にアメリカが核を使うかどうかと疑いを持ったら、その抑止力は効かなくなってくるということです。

非核三原則の中で「持たず、作らず」は日本がやることですよね。そして「持ち込ませず」は、この「核の傘」を提供しているアメリカに対して「持ってくるなよ」と言っているわけですね。これにアメリカの受けている印象は、「あなたたちのために使おうと思っているのに」という気持ちは当然、出てくるという性格のものであるということは理解をしていく必要があるんだろうなというふうに思います。

中露にスクランブルは日本だけ

櫻井　アメリカが日本のために使うという時も、「持ち込ませず」といったら、アメリカは凄く憮然とするだろうと思いますね。

それからロシアが一八六〇もあるのに、アメリカが二五しかなくて、使える状況にあるんだろうかということも、私たちは頭の体操として考えなければいけないと思うのですね。

公明党の山口那津男さんが、この前、官邸に行かれて、来年ある次のサミットは広島でするのが良いというふうに言われたと報道されていました。私は広島の人たちの気持ちは凄く大事にしたいというふうに思うんです。二度と悲惨な核を落とされてはならないというのが当然です。それから岸田総理がおっしゃる「核のない世界」を目指す理想も、掲げ続けるべきだというふうに思います。この志は大事にすることを大前提にして、でも広島でサミットを開くともう核は絶対にダメよという絶対善の世界の中に入ってしまう。「非核三原則を守りましょう」と、そういった抽象的な、観念的なレベルに議論が留まるのではないかなと、私は心配しています。むしろもっと現実的にものを考えることが出来るような場所の方がよろしいんじゃないかと思うのですけれども、これはいかがですか。

安倍　二〇一六年に伊勢志摩サミットを開催した時のG7の外相会議は広島で開催をし、岸田さんがホストとなって、ケリー国務長官が参加をしました。その際、ケリーさんの持った印象が、成功した、と。岸田さんと共に公園に行って、祈りを捧げました。それがオバマ大統領の広島訪問に繋がったと思います。

一方、いま櫻井さんが言われたように、まさにNPT（核拡散防止条約）の理念に全く逆らう形で、P5（国連安保理常任理事国）の一カ国であるロシアが核の脅しをしているという現状があります。そして北朝鮮も核武装をしているという中において、核の抑止力が重要性を増しています。ですから、その中で具体的な議論をしていく必要もあります。

G7の国を見渡してみると、米国は核武装をしている、そしてイギリスもフランスも核武装している、と。そしてドイツ、イタリアは核シェアリングをしているということなんです。ですから、そもそもどう考えるかということにもなってくるのですが、そこは大変難しい課題だろうと思います。いずれにせよ、G７の場所は岸田総理が決められるわけですから、色々なことを考えられて、判断されるのだろうなと思いますね。

櫻井　世界地図の上で核保有国を塗りつぶして見ると、日本は核に囲まれている。もちろん、ウクライナ情勢もいま非常に大変ですけれども、これから中国が恐らく力をつけてきて、ロシアはどんどん力を落としていく中で、中国とロシアの連携というのは否応なしに強まっていくだろうと思います。そうした中で後ろには中国、ロシアの連合軍がいて、北朝鮮もいて、世界で一番危険なところに立っているのが日本ではないですか。

安倍　中国、そしてロシアの両国から、日本は防空識別圏への侵害を受けています。中国とロシアに対して両方にスクランブルしている国は、日本だけだと思いますよ。

　ですから自衛隊の負荷というのは大変なんです。その中で燃料費なんかも制限がありますから、実は大変なのですが。

櫻井　燃料費も。

安倍　燃料費もそうです。整備、修理もそうなんですが。スクランブルというのは結構負荷がかかります。

その中で先ほど申し上げましたように、世界が日本にいま、ある意味、注目しているのです。このインド太平洋地域、日本の近海は安全保障環境が非常に厳しい。インド太平洋地域の平和と安定があって、初めて世界の繁栄があるという考え方の下に、日本だけでは大変ですから日米同盟プラス「自由で開かれたインド太平洋構想」に賛同する国々に、この海域、地域に軍事的なコミットメントを増やしてもらいたいということを、私の時からずっと要請してきました。それに応じて、イギリスは「クイーン・エリザベス」を派遣し、またフランスは「ジャンヌ・ダルク」を派遣し、ドイツやオランダも、そして豪州やインドやカナダも艦艇や航空機を派遣して、自衛隊と合同演習をしながらプレゼンスを示して、この地域の平和と安定を一緒に守っていくという意思を示してくれていますよね。

その国々も含めて、いまこういう大きな変化を迎える。変化とは、私たちが作ってきた国際社会、いわば秩序を打ち破ろうという動きが出てきている。それをいかに守っていくか。それに対して、それぞれの国が責任を果たしていこうという中において、世界に対して、この地域に対するコミットメントを増やしていこうという国が、どういう努力を果たしてしていくのだろう。その日本自体が「ほとんど防衛費、増やしませんよ」。これはもうびっくりしますよね。「何言っているんですか」ともう信用されません。

ですから日本や地域の平和と安定を守るためにも、日本は自分たちの責任はこう考えています、と。NATOと同じように。当然、NATOよりももっと厳しいですから。

櫻井　はい、そうですよね。

安倍　中国や北朝鮮もあるのですから。だから「みんなにこっちに来てくれ」と言っているわけですよね。

日本は、その中でリーダーシップを発揮していく上においても、当然、NATOと同じくらいの二％という責任目標は五年で達成しますよ、ということを示さなければいけないと、私は思うのですね。その時に、積み上げのどうのこうのという議論は、何言っているのですか、と。世界を見てください、と。安全保障の上において、いま何が求められているのか、何が国家意思なのかということを考えてもらいたいと思いますね。

ロシアは中国のジュニアパートナーに

櫻井　世界の勢力関係の大きな絵柄でいうと、安倍総理が民主党政権から受け継いで、日米関係を修復し、日米同盟はいままでにないくらいいい関係だというのがあります。でも、いまの日米関係は表面的に非常に上手くいっているけれども、政治的に見ると、例えばバイデンさんが、いまウクライナの方に気を取られていて、ＮＡＴＯとの関係を強めなければいけないという立場に立っていて、その結果、中国に対するこのアメリカの注意というのは、少し薄れていっているのではないかという心配があります。

バイデンさんはアフガニスタンから撤退した時に、ハッキリと中国が本当の脅威で、こちらに集中しなければいけないとした。菅さんがアメリカに日米首脳会談で行った時も、中国を名指しで色々なことをおっしゃいました。その割にはいま、アメリカの注意がロシアの方に向いていて、ちょっと中国に不十分だと。

もう一つは日本の岸田政権の下での防衛強化努力が、不十分であるということです。防衛費のＧＤＰ比二％を目指すのは嬉しいけれども、五年以内では間に合わないのではないか。五年経ったらもう台湾がとられているかもしれない。そんな見方さえあるわけです。

絵柄としては日米関係は凄くいいけれども、実態としてはちょっと危険なところがあるという見方がありますが、これについてはいかがですか。

安倍　米国、欧州はもちろんそうなんですが、安全保障関係者は、例えば米国のセキュリティ部隊もそうなんですが、基本的にはやっぱり元々、冷戦の戦士、あるいはその弟子が多いわけですね。ですから当然、旧ソ連なんですね。

櫻井　なるほど。

安倍　彼らの正面はヨーロッパですから、そっちにどうしても集中しがちなんです。その中で例えば石油の問題があったら中東になりますが、基本的には中東においても、米国はイスラエルを支援し、かつてのソ連はアラブを支援したという時代だった。世界中で米ソの代理戦争、冷たい戦争があった。ですから、そっちに注目がいきがちなんです。欧州はほとんどそうでした。

ですから私もG7等で、中国はいかに軍拡を進めているのか。そして一方的な現状変更はどんどん勢いを増している。あるいはロシアと連携して、地中海で合同演習をしたりしていますよ、と。だからこそ、中国のいまの方向を、舵を切らせなければいけない。ですから一緒に、この海域、地域について、インド太平洋で協力をしていきましょうよ、と。プレゼンスを増やしてくださいとずっと言い続けてきて、やっと段々、変わり始めたのですね。

まず変わってきたのは、米国がトランプになって変わりました。それは大きく変わったと思います。太平洋軍をインド太平洋軍に名前を変えましたし、こちらのアジア正面に変わっていったと思います。そしてバイデン大統領が登場した後、正面は変わったというふうになっていったと思います。かつて、オバマ政権時代にも、ヒラリー国務長官の時にもそういう動きがちょっとあったのですよね。ピボットとか言われまして、だいぶ、中国との関係において、気候変動問題に協力をさせようということになって、グッとその勢いが、そがれました。その後、また、ロシアに、かつてのソ連のイメージでうつっていくのです。

いまの段階では侵略を継続しているのはロシアですが、ある種の脅威、軍事国家としては、これはもう圧倒的な経済力を持つ中国になっていくのです。ロシアはむしろ中国のジュニアパートナーになっていきます。これはもう全然、国力がロシアはグンと落ちましたから。

ですから、バイデン大統領にもう一度、こっちに関心を持ってくださいと強く言うべきなんだろうなと思います。その中で、いま櫻井さんがおっしゃったように、当面、アメリカもヨーロッパに取りかからずを得ないから、日本がもっと責任を持ってくれと言ってくる可能性は、かなり私は高いと見ています。日本が防衛努力をしてくれと、相当言ってくる可能性は、私は高いと思います。その前に私は岸田さんに堂々と、日本はこうしますということを示してもらいたいなと思いますね。

櫻井　韓国と日本にバイデンさんがいらっしゃいますけれども、そのことは一つの大きなテーマになると、考えておかないといけないですよね。

安倍　それは当然、考えておかないといけないと思います。

櫻井　その時に、防衛費二％を五年以内ということは、凄く遅いというイメージを与えるだろうというふうに思うのですが。

安倍　五年以内で二％についても、激しく抵抗されていますから。

櫻井　激しく抵抗している。

安倍　ええ。

櫻井　核弾頭の数が二〇二一年の段階でアメリカが五五五〇発、さっき聞きましたらもう中国は二〇二二年段階で三九五発になっているんだそうですね。二〇二七年にはだいたい七〇〇になる、米国防総省によれば二〇三〇年には一〇〇〇発になると。そうなったらもうアメリカと軍事的には均衡状態になるというふうに。

安倍　新ＳＴＡＲＴ条約において米国もロシアもこれだけ持っているんだけれども、

配備しているのは一五〇〇発か。

櫻井　実戦配備ね。

安倍　実戦配備は一五〇〇だとすると、こっち（中国）は一〇〇〇になってくると、大体、均衡してきてしまうじゃないかと、こう言われているんですね。

櫻井　そうですね。それが二〇三〇年とか二〇二七年と言いますけれども、その頃までにはもう台湾はどうにかなっているのではないかと。だから日本がこれから五年というと二〇二七年なんですけれども、日本は自分のためにも死に物狂いで防衛努力をしなければいけないと、私は思うのです。でも、岸田さん、積み上げだとか、非核三原則はしっかり堅持しますと、この前のインタビューで、私におっしゃっておられました。それはこの清和政策研究会の方から、どんどん提言を。

日本は主張するべきだ

安倍　ＧＤＰ比で、絶対額で言っていませんので、ＧＤＰ自体が増えていけば、絶対額が増えていくんですよ。

櫻井　それはそうですね。

安倍　ですからいま二％ではなくて一〇兆円という人がいるのですが、五年でしっかり成長していきますから、一〇兆円以上になります。

櫻井　なるほど。

安倍　ですからそこはいまから絶対額を決め打ちするよりも、なぜGDP比か。そこがポイントなんですね。GDP比というのは、何と言ってもやっぱりその経済力、体力に見合った責任を果たしていくということですから、経済を成長させながら、防衛費をグッと増やしていくということだと思いますね。

櫻井　日本は中国と並び立つアジアの雄ですけれども、アジアや世界の国々がいかに日本に期待しているのかというのを、総理は外交を通して肌身で感じたことが、多いと思うんですが、いかがですか。

安倍　そんな軍事費を増やすとアジアの国々が反対しませんか、とよく言いますよね。ですが、私は、アジアの国々ってどこですかと言うんですよ。それは北朝鮮だったり、中国だったり、韓国だったりするのですが、それ以外の国々は、むしろ日本が軍事的なプレゼンス、安全保障上の役割を果たしてもらいたいと思ってるんです。中国が圧倒的なプレゼンスを示していることについて、彼らは恐いと思っているのですね。日本に対しては、むしろ日本がそれに対抗してもらいたい、そこでバランスを取っていきたいというふうに考えている国の方が全然多いと思いますね。

櫻井　南モンゴル出身の楊海英さん、いま静岡大学の教授になって日本国籍を取った方がおられます。楊海英さんが、日本はかつて自分の支配していた地域に対して、もっとコミットして欲しいとおっしゃいます。日本が敗れたから、もう物を言わないというのではなくて、戦時中に色々な日本の文化の種、日本的な思考の種を蒔き、日本人の素晴らしいところを学んだ人間がたくさんいるのだから、と。そういった国々がいまも中国の圧政の下にあったりして、いじめられているのに対しても、沈黙を保って欲しくないということをよく言われました。

私たちは、歴史を振り返って、悪いことばっかりしたと学校で教えられますから、かつて関係を持った国々、民族に対して物を言わない。でもそれは間違いなんじゃないかと思うのですね。ヨーロッパでも二〇一九年に欧州議会が歴史決議を行った。第二次世界大戦の本当の原因は、いままで自分たちはドイツのナチスだと思っていたけれども、しかし、本当の原因はもう一つあって、ナチスドイツも責任があるけれども、ソ連のスターリン主義だったんだ、と。スターリン主義のソ連は、いつの間にかいい人になって、国連安保理の常任理事国になって、拒否権も持って、何にも責任を問われていない。ドイツは責任を問われて賠償も行って大変な目にあったけれども、我々はいまこそスターリン主義とソ連、いまのロシアの責任を問うべきなんだという歴史決議をしましたね。
私は日本人も歴史をきちんと正面から見直して、確かに我々は間違ったこともしたけれども、それが全部ではなかったのだ、中国だっておかしいでしょうと言わなければいけないと思います。それが現在の外交に結びついて、もっと日本が主張していっていいというふうに思うのです。

安倍　それは当然なのですね。やっぱり日本も主張すべきことは、しっかりと主張するべきだと思います。特に歴史問題、そうした課題についても、日本はずっと黙ってきたのです。黙っていて、耐えていけば、そのうち、時がそうした批判を、押し流していくのかと思ったら、そうはならないのです。むしろその時のことを、実態を知らない人だけの世代になってくると、かえって色々なプロパガンダが逆に真実性を帯びてしまうという事態にもなっていると思います。
安倍政権においては、歴史戦を挑まれている以上は、各国の大使館、大使は日本を代表しているのですから、責任を持って反論しなさい、と。反論するための知識をしっかりと身につけて、いろんな場面で、言うべきことを言ってもらいたいと、私は大使が赴任する際には指示するのです。どちらかと言うと、いままで外務省はそれをスルーしてしまうんですよ。

小泉総理は、私が官房副長官の時に、韓国を訪問しました。そして首脳会談を行うわけなんです。あの時、『新しい歴史教科書』が出来て、でも採択率は全然、低かったのですね。当時、田中均さんがアジア大洋州局長だったんだけれども、採択率はこれしかありませんよと、小泉さんに言わせようとしているのです。これはおかしいだろうと、私は、言ったんです。
それはおかしいでしょう。要するに採択が増えることがダメだと、日本が認めているようなものですから。小泉さんにこれは絶対に発言しないでくださいね、と言うと、俺はそんなことを言わないよと言ってくれたわけです。いわば外務省は、そういう発言要領を作る。当時は田中均さんがアジア局長（アジア大洋州局長）で、竹内（行夫）さんが次官だったんじゃないかな。そんな体制だったのですよ。だから私は副長官だったのだけれども、そういう体制とは真っ向から、闘ってきたつもりです。
櫻井　日本がきちんとした歴史認識に基づいて自分自身を表現すれば、日本が本当は大好きだったのよ、と言ってくれる国はたくさんありますよね。
安倍　ええ。
櫻井　私はフィリピンの人たちと話した時だって、そういう反応を受けました。ところがフィリピンでは、日本が悪いことをしたというようなことばかり言われています。

歴史認識について、安倍総理は加藤康子さんとの月刊誌での対談の中で、朝日新聞に日本国民の名誉を傷つけられたと訴えた人たちが裁判で負けたことについて、そうであればもう一度、国民が立ち上がって訴えてもいい話だと思う、とおっしゃった。本当にそのように闘う気持ちを持っていくことが大事だというふうに思っています。そうやって闘って論を尽くしていけば、必ず日本はもっともっと広く、世界に受け入れられるというふうに思います。

（二〇二二年五月二〇日放送）

＊櫻井注　「カレンダーベース」とは、財務省はプライマリーバランス（ＰＢ）の黒字化を悲願としている。黒字化をいつまでに達成するかという目標年限は当初二〇一〇年代に設定された。しかしそれは実現せず、次に二〇年には達成すると先延ばしされた。それも達成できず、二五年度までにと再再設定された。

このように、カレンダーベースに基づいて財政政策を作るのは意味がない、それよりも現実を見て下さいというのが安倍総理の考え方だ。安倍総理の考え方はカレンダーベースとは逆の「アウトカムベース」(outcome base　結果ベース）だ。例えば、名目成長率が三％、実質成長率が二％、物価上昇率は二％という掲げた経済目標を達成したときにＰＢが黒字化すればよいというものである。経済の実態に合わせた政策を進めなさいという安倍総理の考え方こそ、納得がいく。

第三部　私と安倍晋三総理

第一章　『週刊新潮』二〇二三年七月二一日号
第二章　『週刊新潮』二〇二三年七月二八日号
第三章　『週刊新潮』二〇二三年八月四日号

第一章　「日本を取り戻す」と叫んだ人

これが日本か

安倍晋三元首相が暗殺された。暗殺犯よ、なぜ殺したのだ。現場にいた警護のプロフェッショナル達よ、なぜ一発目の襲撃で止められなかったのか。なぜ二発目を許したのか。

なぜだ。なぜだ。テロへの怒りと安倍氏喪失の衝激で胸の奥からマグマがせり上がってくる。どれほど地団駄を踏んでも取り返しはつかない。

銃撃時の動画を見ると、SPや警察官らが突っ立っている。護衛の訓練をし、日々、心構えも新たに現場に臨むのであろうが、いざ事に直面すると、誰ひとり動くべきときに動かなかった。否、動けなかった。

犯人は一発目の襲撃を外した。構え直して二・五秒から三・〇秒後に撃った二発目で、安倍氏はほぼ即死した。全体がはじかれたように動いたのは、安倍氏が倒れてからだったのが動画から見てとれる。

これが日本か。その姿は日本国憲法前文と九条に重なる。わが国さえ悪事を働かず、平和を守れば、世界の悪しき国々は日本に手を出さない。日本さえ軍備を最小限に、力の行使は慎重に、相手国を刺激せずに大人しくしていれば、脅威は襲ってこないと信ずるパシフィズム国家だ。

自衛隊を軍隊とせず、警察法の枠内でその持てる力を必要最小限にとどめる憲法九条の精神に浸りきったわが国は、ずっと現実から逃げ続けてきた。目をつぶってしまえば迫り来る脅威は見なくて済む。まやかしの安心だ。何も準備することなく、存在しない〝親切な世界〟に身を委ねてきた。わが国の現実逃避体質の非力さを、安倍元総理暗殺事件が象徴的に炙り出した。

国全体が憲法九条の平和主義の影響下にあるからには、安倍氏暗殺を受けた政府の反応が呆れ果てるものだったのは当然であろう。

世界戦略を描いて真っ当な国家の在るべき姿を説いてきた安倍氏は、これまでの日本には見られなかった稀有な政治家である。日本の宝である。日本だけでなく先進七カ国首脳会議（G7）で、当時のトランプ米大統領、メルケル独首相、マクロン仏大統領やジョンソン英首相らに信頼され、頼られる政治家だった。

そんな首相がかつてわが国にいたか。安倍氏が初めてである。それ程大事な政治家が白昼易々と暗殺された。そのことが抉り出した日本国の脆弱さを中国、ロシアをはじめ世界中が目撃した。わが国を窺う勢力が日本与《くみ》し易しと思っても不思議ではない。

このことの深刻な意味を岸田文雄首相は鋭く感じとって対応しなければならない場面だった。たとえば直ちに国家安全保障会議を招集して対策を発表することだ。日本政府が事の重大性を認識して対応策を打ち出す姿を見せる、即ちわが国はいかなる事態にも十分な危機感をもって対処できると、示すことが大事だ。犯人については厳しく追及する。簡単に単独犯と決めつけず、背後関係も含めて全てを洗い出す決意を示すことが抑止力になる。

だが、岸田政権にはこうした意識が欠けている。それだけではない。日本国首相として、また安倍氏の当選同期生としてこの暗殺事件をどう受けとめたか。首相個人と、日本国政府の心の在り様が伝わってこない。岸田氏は日本国の深い怒りと痛恨の思いを明確な形で内外に示すべきだった。

米国政府は七月八日の襲撃当日、ホワイトハウスに半旗を掲げた。バイデン大統領はさらに指示を出して、八日から一〇日まで米国中の国旗が半旗になった。警察署、郵便局、ガソリンスタンド、スーパーマーケット、学校から個人の住宅に至るまで多くの半旗が掲げられたと、ＳＮＳで伝えられている。ブリンケン国務長官は直ちに日本を訪れ弔問した。

英国もフランスもインドも安倍氏の不慮の死を悼んだ。インドは米国同様、半旗を掲げ国を挙げて弔意を表わした。アジアの多くの国々で政府のみならず国民各位が凶弾を憎み安倍氏の死を惜しむ言葉を寄せた。

わが国では、自民党がいち早く永田町の党本部ビルに半旗を掲げた。では政府はどうしたか。国会議事堂、衆参両院議長公邸においても日曜一杯、通常どおりに高々と日章旗が掲げられていた。政府が半旗を掲げたのはようやく一一日の月曜日になってからだった。何と感覚の鈍いことよ。安倍氏を喪ったことへの慟哭の想いはないのか。

安倍氏は首相になるとき、「日本を取り戻す」と叫んだ。取り戻そうとしたのは日本の価値観だ。歴史を辿れば日本は雄々しさの中にも穏やかな文化を育んだ立派な国である。幾百世代にもわたって日本列島に住みついた先人たちは、人間を大事にし、思いやりを基調とする社会を築いた。だからこそ、安倍氏は第一次政権でまず、教育基本法の改正に取り組んだ。戦後の日本を歪めた元凶である現行憲法改正のための国民投票法も制定した。日本を守る自衛隊を「庁」に据え置いてはならないとして、防衛庁の「省」昇格を急いだ。戦後の日本社会を決定づけた現行憲法の改正が自分の政治使命だと国民に誓った。

頭脳明晰な人

第二次安倍政権では、国の守りを強化する特定秘密保護法や平和安全法制を次々に制定した。その都度、一〇ポイント以上も支持率を落としたが、安倍氏は戦い、全て成立させた。

私が主宰する「言論テレビ」で、安倍氏がどんな思いで日々政治の場において日本を変えようとしているか、語ったことがある。当日は二〇一五（平成二七）年九月一一日、懸案の平和安全法制の審議は山場を迎えていた。民主党は国会での議論を拒否して、デモ隊と一緒に安倍首相批判の声を張り上げていた。

デモの中で法政大学の山口二郎教授が、こう演説した。「安倍に言いたい。お前は人間じゃない。たたき斬ってやる」。またこうツイートした。「日本政治の目下の対立軸は、文明対野蛮、道理対無理、知性対反知性である。日本に生きる人間が人間であり続けたいならば、安保法制に反対しなければならない」と。

蓮舫氏も福島瑞穂氏も同法案を「戦争法案」だと論難した。

私がこの一連の批判について問うと、安倍氏はサラリと言った。

「知性対反知性と言われるのなら、『人間じゃない、たたき斬ってやる』というのは言わない方がいいと思います」「本当にこれが戦争法案なら私も反対します。アジア諸国も反対するはずです。そうではなくて、ほぼ全ての国々が賛成しています。戦争法案のはずがありません」

そしてこう続けた。

「自民党は相手（民主党）を攻撃するよりも、平和安全法制案について、より時間をとって説明したいと思っているんです」

当時の国会での発言録を読めば安倍氏は説明を尽くしている。しかし、野党の大部分は馬耳東風だった。安倍氏はこうしたことの一切を我慢し、支持率低下にも耐え、法案を成立させた。いま、わが国の安全保障に欠かせない日米同盟がかつてなく安定しているのは平和安全法制があってこそだ。

「言論テレビ」でも安倍氏の説明は見事だった。平和安全法制の制定によってわが国は集団的自衛権の行使が、一部だが可能になる。なぜそうしなければならないのか。安倍氏の説明は実によく整理されていた。

・集団的自衛権の政府解釈は四〇年前のもので、当時はわが国よりも外国を守るためという概念だった。

・外国のためならそれは必要最小限を超えており憲法違反とされた。

・ところがこの四〇年間に北朝鮮さえ核やミサイルを有し、わが国を狙えるようになった。

・日本へのミサイル攻撃に備えて警戒に当たっている米国のイージス艦が攻撃され、それを自衛隊の艦艇が守らなかったら、日米同盟はその瞬間、大きな危機を迎える。

・米艦船を守ることはわが国の存立と国民を守るために必要で、そのための集団的自衛権の行使はまさに必要最小限の中に入る。

・昭和三四（一九五九）年、憲法の番人である最高裁判所は自衛権を国家固有の機能として当然だと認めた。

・日本国民を守るために必要な自衛のための措置とは何か、政治家が考えなければならない。

・四〇年前とは違う状況下で、昨年（二〇一四年）、自衛権、集団的自衛権の解釈を変えた。それが平和安全法制だ。

一連の説明を安倍氏は一切の資料を見ることなく行った。言葉が湧いてくるようだった。安倍氏の理解力と説明能力には、官僚や他の政治家を寄せつけないものがある。極めて頭脳明晰な人である。

緊張感があった理由

安倍氏はその後、祖父、岸信介氏についても振り返った。

「祖父が『岸信介回顧録』で一九六〇年の安保改定時のことを書いています。安保改定で徴兵制に逆戻りするとか、夫が戦場に行くことになるとか、戦争に巻き込まれるという批判があった、ありもしないことを批判されて残念だと祖父は書いています。五五年経って、いま、全く同じ言論状況ですね」

祖父と孫は日本がまともな国になるように法制度を整え、占領軍の急拵えの憲法のくびきから日本を解放しようとその一生を捧げた。日本国内では愚かな左翼勢力が岸氏の功績も安倍氏のそれも認めようとしないが、国際社会は安倍氏の貢献を高く評価している。安保法制に賛成の意を正式に表明した国々はアジア諸国を含めて五〇以上に上る。

さらに、来日したカンボジアのフン・セン首相について安倍氏はこう語った。

「日本にPKO部隊を派遣していただいたお陰で、カンボジアはしっかり成長できた。いまは自分たちがPKO部隊を送り、スーダンで医療活動をしていると言っていただきました。PKOのときも菅直人氏らは非常に強く反対しましたね」

安倍氏は存分に自分の想いを語ったが、それでもこの日の「言論テレビ」に安倍氏は不満だったと思う。私が番組の締めで、安倍氏の課題に憲法改正があると語ったからだ。

ただでさえ難しい平和安全法制に取り組んでいて、もう一、二週間で法案が成立しようかという大事なときに、私はそれよりもっとハードルの高い憲法改正を安倍政権の課題として持ち出した。ひとつひとつ結果を出さなければならない政治家にとっては私の問題提起は余計なお世話だった。

一方、個々の政策の背景にも言及して問題提起するのは、言論人としての私の役割でもある。そして私は時に妥協を許さず、問い詰めすぎるきらいがある。安倍氏と私の関係は基本的に友好的であるが、常に一種の緊張感があった理由である。

安倍氏と私は確かに同じ方向を向いていた。「日本を取り戻す」と叫んだ安倍氏の気持ちは深く理解できていると思う。けれど、個々の政策になると、微妙な相違も生まれるのだ。対ロシア外交においても、対中外交においても、大きな方向性は同じであるのに、眼前の政策については違いがあった。その都度、私は質し、安倍氏は答えた。

二〇一六年一二月、首相の地元・山口県長門市と東京で日露首脳会談が行われた。結論から言えば平和条約締結にも北方領土の帰属問題にも進展がないまま経済プロジェクトが先行した。私はこの首脳会談を評価できなかった。

一八年九月、ウラジオストクの東方経済フォーラムでプーチン氏がいきなり無条件で平和条約を締結しようと言い始めた。ロシア側の思惑は二つの条約を日本に提示することだった。一つ目の条約で平和と友好、協力を定め、その条約を基礎に、後で国境に関する二つ目の条約を結ぶという戦略だ。

日露交渉の歴史には日ソ共同宣言、東京宣言、クラスノヤルスク合意、川奈提案、イルクーツク声明など、四島返還要求を貫くための苦労が刻まれている。その歴史を一気に飛び越して、小さな島二つの返還にとどまる日ソ共同宣言に逆戻りするのかと、私は懸念した。

安倍氏は四島の要求を続ける限り北方領土問題は動かないこと、島民の方々の高齢化などを語ったうえで、わが国は中露両国を相手にしなければならないとも言った。

中国とロシアが手を結べば、日本にとって最も困難な状況が生まれる。ロシアが衰退し中国の力が増強する中で、安倍氏はロシアを中国側に押しやらない戦略を考えていたのだ。

こうした大戦略の前では、四島か二島かの議論の重要度は相対的に下がる。地政学的大戦略はロシアのウクライナ侵略戦争で潰えたが、安倍氏はユーラシア大陸全体、中露双方を睨み、その大きな枠組みの中に北方領土問題を置いていた。卓越した戦略だと思う。

「松陰先生に似ている」

地元山口県で長年安倍氏を支えてきた人物に清原生郎氏がいる。清原氏について、安倍氏がこう教えてくれた。長いつき合いだが一度も頼まれ事を受けた記憶がない。ただ、二〇一三年一二月、（現職総理として）靖国神社に参拝したとき、「総理、ありがとうございます」と、お礼を言われた。こういう立派な人たちに支えられている自分は幸せだ、と。

清原氏は吉田松陰の信奉者でもある。氏は「安倍総理は松陰先生と似ているところがある」と語る。信念を貫く意志と、抜群の行動力において共通するというのである。松陰は教育者であり、必ず率先垂範した。

幕末、松陰は急《せ》いていた。早く変わらなければ日本は外国の侵略を受ける。彼は松下村塾の門下に書き送った。「余りも余りも日本人が臆病になり切ったがむごいから、一人なりと死んで見せたら、朋友故旧《ほうゆうこきゅう》（古くからの友人）残ったもの共も、少しは力を致して呉れうかと云う迄なり」

松陰は、時代の大変革の中で、なぜ、皆は目醒めないのか、皆を目醒めさせるために自分が死んでみせようかと言っているのである。

「同じような烈しさが安倍総理の中にもあるのでしょうか」と清原氏は穏やかな口調で語る。

松陰は二九年の短い人生を駆け抜け処刑された。身分の上下を問わず、来る者全てを受け入れて、教えた。そして皆に、とりわけ女性や子供、貧しい人たちに優しかった。松陰の母への手紙は、平易な仮名文字で、優しい言葉に乗せて母を大切に想う気持ちを綴っている。

「櫻井さん、松陰先生がほのかに心を寄せた女性のことを知っていますか?」

と、安倍氏が聞いた。

私は『吉田松陰全集』を読みかけているが、そこにはまだ到達していない。そう言うと、安倍氏が返した。

「あの女性《ひと》はね、松陰の初恋の人だと思うんだよね」

安倍氏が少年のようにはにかんだ。

今、手元に一葉の写真がある。昨年(二〇二一年)一二月、下関で一緒に撮影したものだ。総理の表情は優しく、くつろいでいる。こんな優しい表情を見せてくれたのは初めてだ。安倍氏と私の間にいつもあった小さな緊張感は、少なくともここでは消えている。

暗殺される前の安倍氏は、恐らく、これまでの人生で最も充実した段階にあった。二回の首相体験が安倍氏の自信を盤石のものにしていた。まぶしい程に輝き、人生の絶頂にあった。

おだやかな表情で横たわる御遺体の傍らで昭恵夫人は「自分が死んだことを本人は知らないと思います」と語った。

苦しみもなく逝ったであろうと昭恵夫人は言う。

私は想った。安倍総理の魂はいまも生きている。そう考えて、「日本を取り戻す！」と叫んだ安倍氏の遺志を何が何でも継いでいかなければならないと、決意した。

（『週刊新潮』二〇二二年七月二一日号）

第二章

人間「安倍晋三」の素顔

「この本、読んでみて下さい」

凶弾に斃《たお》れた安倍晋三元総理は感情豊かな人だった。怒るときには本当に怒った。

「失敬じゃないですか！」

「失礼じゃないですか！」

野党の根拠なき攻撃や昭恵夫人への誹謗中傷に対して、気色ばんでこう反論する国会での姿は、多くの人々の記憶に残っているはずだ。「失敬だよね」「ひどいよね」。森友・加計学園問題の最中、幾度か交わした会話の中で、元総理はこうした言葉を繰り返した。

けれど、それ以上は言わない。気の置けない仲間同士で誰かの批判をするとき、口を衝いて出てきがちな下品な悪口雑言を、私は安倍氏から聞いたことがない。

政治家同士の駆け引きの中で安倍氏は幾度も騙された経験がある。安倍氏暗殺を受けて涙ながらに悲しみ、怒ってみせた政治家の中には、あからさまな裏切りを重ね、政界を泳ぎ続けている人もいる。その詳細を聞いたことがある。

その時その政治家がどんな表情でどんな言葉を口にしたか。人払いをして二人きりになったとき、総理との距離感はどのくらいで、どんなヒソヒソ口調だったかなども聞いた。そんな時でも安倍氏の怒りの表現は極めて抑制的で、一言でいえばたしなみ深い人だった。

しかし、いま、安倍氏は心から怒っていると思う。暗殺事件から十数日、犯人について少なからぬ情報が明らかになってきた。旧統一教会への積年の恨みの一方、元総理への恨みはないとSNSで犯人は書いている。ではなぜ、安倍氏を殺害したのか。なぜだ、なぜだ！　私の心はおさまらない。

暗殺された元総理もきっと言っているはずだ。「なぜだ」「ひどいじゃないか」と。けれど安倍氏はこんな場面においてさえ、罵詈雑言の人にはならないだろう。幼少時から政治家は怒りの表現をどうコントロールすべきなのか、どこで止めるべきなのかを祖父岸信介の巣鴨での体験や、首相となってからの日米安保改定騒動への対処の仕方などから学んでいたと思う。

暗殺犯の男には想像もつかないであろうが、安倍元総理は国民全員の幸福を願っていた。世界の価値観が変わると共に世の中の制度や一人一人の生き方が多様化していく中で、わが国はどのような社会・国を作っていくべきかに心を砕いていた。多様な生き方を抱きとめる重要性を十分に承知しながら、大多数の人々の生き方や価値観を社会の基盤に据えて穏やかで安定した国を維持するのがよいと、安倍氏は考えていた。

ＬＧＢＴＱ、シングルマザー、単独親権か共同親権か等々、家族の在り方に関する課題で私たちは度々意見交換をしたが、そんな折、本年（二〇二二［令和四］年）五月一六日の月曜日、安倍氏が言った。

「この本、読んでみて下さい。家族がどんなふうに作られてきたか、国家と家族の関係はどう形成されてきたか、書いてあります」

安倍氏が示したのは古びた一冊の岩波文庫『家族・私有財産・国家の起源』で、エンゲルスの著作だった。

「私も勧められて古本を購入したんです。読み始めたばかりなんですがね。前の人がところどころ線を引いてくれていて、分かり易いんですよ」

安倍氏は照れ隠しで笑った。戸原四郎氏が訳し、解説している。それによると同書はエンゲルス一人の作品ではなく、その前年に死去したマルクスの「遺言執行」の書だそうだ。人間の歴史を振りかえると、家族が最初に形成されて部族に発展したわけではないこと、部族が人間社会のそもそもの本源的、自然発生的な形だったこと、私有財産が徐々に形成される中で、母権的な氏族制度の枠が破られ、父権を軸とする家族が生まれたこと。大雑把にいえばこういう内容だと思う。

その後、同書について安倍氏と語り合う機会がなかったため、氏が同書をどう読んだか、わが国の家族の在り方の議論にどんな光を与えてくれるはずだったのかは、今となってはわからない。ひとつ言えるのは、安倍氏が読書家であり、よく学んでいたということだ。

右の本はマルクス・エンゲルスの系統の書であるから、一言で言えば努力して読まなければなかなか先に進まない。

たとえば家族の起源についてエンゲルスは以下のように指摘している。

・一九世紀の六〇年代初頭まで、家族の歴史などは問題にもなり得なかった。

・一夫一婦制、一夫多妻制、一妻多夫制が知られていた。

・一八六一年にバッハオーフェンが『母権論』を上梓した。

・バッハオーフェンは、人類が彼が誤って表現した「娼婦制」から単婚制へ、母権制から父権制に発展したのは宗教的観念の発展の結果だと結論づけた。

エンゲルスは、バッハオーフェンの学問的業績はドイツ語で書かれていたために広く理解されることなく埋もれていた。その間にイギリスでもてはやされた弁護士出身のマクレナンが人類の家族史、結婚の形態などについて欠陥の多い学説を発表したと批判している。

そうした中、一八七七年にアメリカ人学者、モーガンが『古代社会』という優れた研究書を発表したとして、エンゲルスはざっと以下のように書いている。

母権制によって組織されたアメリカ・インディアンの氏族の結婚形態が人類の原始形態である。後に父権制で組織された、古代の文化諸民族に見出されるような氏族は、アメリカ・インディアンの氏族制から発展したものだ。ギリシアやローマの氏族の在り方はインディアンの氏族の在り方から説明がつく。モーガンの研究によって原始人類の歴史全体について、新しい基礎が見出された。それはあたかも、ダーウィンの進化論が生物学にとって、あるいはマルクスの剰余価値理論が経済学にとってもつのと同じ意義をもっていると高く評価したのだ。

だが、イギリスではバッハオーフェンもモーガンも全く評価されなかった。その理由の一つは、モーガンが文明、商品生産の社会を、つまり、「われわれの今日の社会の基礎形態」を猛烈に批判したばかりか、「この社会のきたるべき変革について、カール・マルクスでもがいいそうな言葉でもって語った」からだと、エンゲルスは書いている。

このような難しく、理屈っぽい書物を、あの多忙な日程の中でよく読まれたと、私は安倍総理の勉強振りに感嘆する。

「孤独なんだよね」

かといって元総理は「本の虫」ではない。とても朗らかに、映画やドラマの話をするのが好きだった。音楽よりずっと好きだった。ある日、突然言った。

「イギリス王室のはなし、ネットフリックスで見るといいですよ。『ザ・クラウン』です！」

私が動画配信サイトのネットフリックスを見始めたのはこのときからだ。ソニー・ピクチャーズが一〇〇億円以上をかけ製作したイギリス王室の物語『ザ・クラウン』は世界中で大変な人気を博していた。シーズンはⅠからⅣまで展開していた。

暫くしてお会いすると、突然、聞かれた。

「『ザ・クラウン』、見ました？」

「ええ。でもあそこまで内輪話を暴露してよいのか、他国の王室ながら心配です」

「そうなんですね。でも、イギリスって凄いですね。どんどん描いていく。どこまで見ました？」

好奇心あふれる安倍氏は性急である。世界で幾千万もの人が観ている同作品は、何年もかけ製作し公開された長寿のヒット作だ。王室物語が実話に基づき再現され、女王陛下はじめ王室の方々の公務の様子の再現はほぼ完璧と言われている。

作品は最初から強烈な印象で迫る。エリザベス２世女王陛下の夫君、フィリップ殿下はヴィクトリア女王の血を引きながら、四人の姉がナチスドイツと関係していた。安倍氏が語る。

「フィリップ殿下はスコットランドの寄宿学校（ゴードンストウン）に送られるんですが、一族とナチスの関係、欧州では許されない暗黒の家族史に彼は直面するんですね」

ここで彼は凄まじい苛めにあい、身心共に深く傷つきながらも耐え抜いた。エリザベス女王と結婚し、皇太子を得たとき、チャールズを自分と同じ寄宿学校に入れた。チャールズも自分同様に厳しい試練に耐えて、強い人間になってほしいとの想いからだった。しかし作品はチャールズの脱落を生々しく描ききった。

別の日、また話題が『ザ・クラウン』に及んだ。

「ダイアナのところまで見ました？　あれはやっぱりチャールズが酷いよね」

日本の保守的な人々の間では、愛人を持っていながらダイアナ妃と結婚したチャールズ皇太子を責めるより、チャールズの行動を受け入れられずに、それに抗ったダイアナ妃を責める声もあった。そのような姿勢こそ、王室を守ることにつながるという見方だ。他方、素直に一言、安倍総理は言うのだ。

「あれはやっぱりチャールズが酷いよね」

偏見も思いこみもなく、人を見る。素直な目で状況を見て判断する。この真っすぐな視線は総理が尊敬する吉田松陰先生に似ているのではないか。

総理はダイアナ妃に優しいだけでなく、チャールズにも理解ある優しさを示して、こうも語った。

「幼い頃、チャールズは両親が多忙で、あまり一緒に過ごしていないんですね。孤独なんだよね。だから、自分を受け入れてくれる大人の女性を求めていたのかもしれませんね」

当事者の一方を悪いと決めつけるのではないのだ。そして、いかにも愉快そうにこんな話も教えてくれた。

「この前、ジョンソン（英首相）と会ったとき、聞いたんですよ。『ザ・クラウン』の話は真実かと」

安倍氏の笑顔がはじけた。

「彼は少し考えて、大英帝国の首相としては答えられない。但し、女王陛下には日本国の首相が『ザ・クラウン』を観ていると報告しておく、と言っていました」

秋篠宮家の件

安倍元総理はジョンソン首相とここまで打ち解けて話せる間柄だったのだ。『ザ・クラウン』を安倍氏は日本にひき較べて見ていたとも思う。作品はこれでもかこれでもかと英王室のスキャンダルを暴いているが、王室、あるいは皇室を守るという共通の重い責務を担う二人の首相は、懸念も共有していたはずだ。

メディアが秋篠宮家の件を批判的に取り上げ続けることについて、安倍氏は度々語った。

「秋篠宮家を貶めることは、皇室全体を貶めることに、どうしてもなっていく。皇室の権威を貶めることは日本を貶めることとなんです」

過ぎたる非難を浴びせることで皇室と国民の絆が損なわれてしまえば、日本国の力自体が本当に衰退していくと、安倍元総理は人一倍気にかけていた。

少し前のことになる。二〇一一年の晩秋、安倍元総理はブッシュ政権とイラク戦争について書かれた『ウルカヌスの群像』（渡辺昭夫監訳、共同通信社）を読んでみるようにと、私に薦めた。

ウルカヌスとはローマ神話に出てくる火と鍛冶の神の名だ。同書では、ブッシュ政権の枢軸を形成した人物六名、チェイニー、ラムズフェルド、パウエル、ウルフォウィッツ、アーミテージ、コンドリーザ・ライスの総称として使われている。

ウルカヌスはアメリカこそ世界最強の国であり続け、その民主主義の価値観と理念を世界中に広げていかずにはおかないと決意した人々だった。彼らはそれこそが正しい道だと信じて邁進した。経済を重視したクリントン政権の路線と訣別して、アメリカは世界最強国の力をさらに強化させ、どの国も抵抗できない軍事力の時代に入った。それこそがアメリカにとっての国益であり世界の善なのだと信じたウルカヌスたちは、どんな思想的形成を経てそこに至ったのか。アメリカ研究の大テーマが、六人の言動を通じて生き生きと描かれている。

「米国人に勧められて読んだのです。興味深かった。面白くて、そうかと思うことが多かった」

と、安倍氏は語った。私にとっても非常に勉強になった一冊である。奇しくも日本は民主党政権下で、この書はいわゆるリベラル勢力への疑問の書でもあった。

武力で中東をおさめようとするブッシュ政権の政策は失敗していったが、ではその後の世界に私たちはどう対処すべきなのか。思想的背骨を失った日本国は答えを出し得ていない。

そして今、私たちはアメリカを凌駕しようと決意した中国の脅威に直面している。

安倍元総理は、中国の脅威こそ歴史上最大のものになると認識し、「台湾有事は日本有事だ」と喝破した。日台の運命は重なるのであり、中国による侵攻の危機は近い。

誰よりも危機を切迫したものと捉えていた安倍氏の危機意識を肝に銘じ、備えることが大事だ。憲法改正を遂行する強い決意を持つということ、これが岸田政権に残された遺志であろう。

（『週刊新潮』二〇二二年七月二八日号）

第三章

歴史は必ず安倍氏を高く評価する

岸信介氏と同じ

凶弾に斃れた安倍晋三元総理の国葬儀決定について「よかった」とする人が五〇・一%、「よくなかった」が四六・九%となり拮抗したそうだ（産経新聞とFNNの合同世論調査）。

安倍氏への故なき非難を続ける「朝日新聞」や「毎日新聞」でなく、産経系列の調査によるこの結果に、私は「そうか……」と思い、「岸信介氏と同じだなあ」と感じた。

政治や外交の専門家やジャーナリストに、戦後の歴代首相で最も高く評価すべき人物は誰かと問えば、岸信介と答える人が多いだろう。そしてその理由として、命の危険に耐えて可決し成立させた日米安保条約の改定を掲げるだろう。

国民の大多数は、岸氏の日米安保条約改定によって、旧安保条約下では事実上の植民地国家だった日本の地位が米国と対等の地位に引き上げられたことを忘れていると思う。そのことを忘れていたとしても、日米安保条約は日本の安全保障の大前提として必要欠くべからざるものだと認識し、受け入れていると思う。

しかし、岸氏の功績への高い評価は岸氏が現役の頃には想像されていなかった。評価が改まったのは安保改定から幾十年も過ぎた後だった。岸氏と同じように、安倍氏は日本の地位を高め、国家としての日本を強化した。時間が過ぎてそのことが多くの国民の実感するところとなるとき、世論は間違いなく安倍元首相に岸氏同様の高い評価を与えるだろう。

いや、岸氏に対するよりはるかに早く、世論は安倍氏の功績を評価するようになると私は思う。なぜなら、国際情勢の動きが余りに早く、日本の命運が尽きてしまうかもしれない局面に立たされている中、日本はこのように変わらなければならないと明確に指し示したのが安倍氏であるからだ。防衛費のGDP比二%問題や核共有議論をすべしという点について、多数が前向きな姿勢を示したように、安倍氏の立てた道筋を歩むのがよいということは、現時点ですでに明らかだ。安倍氏の政策や戦略を非難する声は少数派である。

「日本国として」

諸外国の首脳、日本研究を物してきた人々が安倍氏の理念や政策を高く評価しているのは周知のとおりだ。その中で目を引いたのが、戦略論を研究するエドワード・ルトワック氏が月刊『Hanada』の九月特大号に寄せたコメントである。

氏は安倍氏は「日本政府の政策」を打ち出した戦後初めての政治家だと語っている。

それ以前は外務省は米国のカウンターパートである国務省と、陸上自衛隊は米陸軍と、海上自衛隊は米海軍と、内閣情報調査室は中央情報局（ＣＩＡ）とだけ対話していた。しかも日本国内ではこれらの人々は互いに意思疎通も情報交換もなく、ひたすら米国の政策に追随するだけだった。安倍政権になって初めて、日本の各機関が日本国という有機体の一部となって互いに支え合うようになったと言っている。

いわば頭脳のなかった肉体のような形で、各役所が米国の指示に従っていたのが「安倍氏以前」であり、安倍氏以降、初めて「日本国として」考え、日本政府としての政策を打ち出し始めたというのである。

安倍政権下で日本がどのような位置を国際社会で占めるようになったかを思い返すと、「日本政府の政策を戦後初めて打ち出した」という指摘がよく分かる。安倍氏は第二次政権の評価として「それまで毀損されていた日米関係を立て直した」ことを強調するのが常だった。それ以前の民主党政権は鳩山由紀夫首相にみられるように、米中の真ん中に日本を置き、日米同盟とは別個の形で東アジア共同体構想に熱中した。

東アジア共同体構想は元々、中国が米国のアジアにおける存在感を薄め、アジアから排除することを狙って、日中韓＋ＡＳＥＡＮ諸国で結束しようと提唱したものだ。中国は、米国さえ背後にいなければ、日本を中国の支配下に入れて屈服させるのは容易だと考えた。日本を含む共同体を中国が主導すれば、中国はアジアの盟主となり得ると期待した。鳩山氏は二〇〇九（平成二一）年九月の国連総会で、東アジア共同体構想を日本の行く道として打ち出したほどだ。民主党政権下で日米同盟が漂流し、オバマ政権が日本に深い猜疑心を抱いたのも当然だ。

一二年一二月、政権を取り戻した安倍首相が日米関係の修復を急いだのは、地球全体を見渡したパワーバランスの中で考えることができたからだ。対中抑止力の要となるＴＰＰ（環太平洋戦略的経済連携協定）への参加を表明したのは年明けの三月だった。ＴＰＰはトランプ氏が政権に就いた途端に米国が脱《ぬ》けたのが残念だったが、それでも安倍首相はこれをまとめ上げた。ＴＰＰの持つ戦略的重要性を十分に認識していたからこそできたことだ。

日米同盟だけでは不十分

日本の戦略上、日米同盟ほど重要な同盟はない。安倍氏は平和安全法制を整備して、有事のとき日本が集団的自衛権を行使して、真の同盟国として戦える体制を作った。日米同盟の強化策として大きな前進だった。しかし、中国の動きを見れば、明らかに日米同盟だけでは不十分だ。安倍氏はここに価値観の柱を建てた。自由、人権、法の支配である。それによって日米を基本にしながらも、その外側により広くより厚い、価値観を共有する国々との連携の構図を作り上げた。

こうした発想の背景に日本の国柄がある。日本は米国の同盟国ではあるが米国と全く同じ国ではない。日本が長い歴史の中で育んだ価値観には人間重視の深い思想がある。一人一人が各々その志を遂げることができる公正な社会を目指す思想がある。個々人の生き方を許容する自由と、誰もが法の下では平等であり、国家同士も国際法の下では平等だという思想は、日本においてははるか遠い七世紀初頭から実践されてきた価値観である。

この思想が「自由で開かれたインド太平洋戦略」（FOIP）に反映された。主軸国の日米豪印の絆は深まり、オーストラリアとはいまや準同盟国と言ってよい関係を構築した。同じくイギリス、フランスも安倍氏のFOIPを受け入れた。両国と日本は「2＋2」（外務・防衛閣僚会合）も実現した。また安倍氏は〇七年に日本の首相として初めてNATO本部を訪問し、価値観を共有することの重要性を説いている。

日米同盟を基軸としながらも、日本政府独自の立場から国際社会の秩序形成と維持に貢献する意思を示し、構想を提唱し、実現したのが安倍氏である。日本が国際社会のプレイヤーであることを実証したのだ。

安倍氏の目指した道は、しかし、完全に達成されたわけではない。一番重要な憲法改正を成し遂げることなく、氏は世を去った。残した想いはどれほど深いことか。命さえあればどれほど多くのことを実現し得たことか。しかし、歴史に残る偉大な仕事をした安倍氏を日本国民がきちんと評価する日は、遠くない将来、必ず来ることを私は知っている。

（『週刊新潮』二〇二二年八月四日号）

第四部　倭しうるはし

『月刊 Hanada』二〇二三年三月号を元に加筆

神々と英雄の想い

日本民族の自覚の書

安倍晋三元総理はなぜ死ななければならなかったのだろうか。なぜテロに斃《たお》れなければならなかったのか。なぜ日本の警察と公安の弛緩《しかん》しきった警備体制の犠牲にならなければならなかったのか。そのうえ、旧統一教会問題で故《ゆえ》なき批判に晒《さら》され、不当に名誉を傷つけられている。それはなぜなのか。

第一次政権に挑むとき、安倍総理は「美しい日本をつくる」「戦後レジームから脱却する」と公約した。第二次政権時には「日本を取り戻す」と訴えた。

最初に政権をとりに行ったとき、安倍総理は「初当選して以来、わたしは、つねに『闘う政治家』でありたいと願っている」（『美しい国へ』）と語り、自身を闘う政治家と位置づけた。そのうえで、自身の立場を「保守主義」、さらにいえば「開かれた保守主義」だと定義した。

第二次政権発足時に安倍総理は『美しい国へ』に新たな章を加えて、『新しい国へ』（文春新書）として信条を世に問うた。そこで強調されたのが「日本を取り戻す」

決意だった。「戦後の歴史から、日本という国を日本国民の手に取り戻す戦いであります」と宣言している。

美しい日本とは何か。取り戻す日本とは何か。安倍総理は現在の日本の仕組みはおよそ全て占領時代に作られており、それによって日本全体がマインドコントロールされていると語っている。

だから大本《おおもと》の憲法改正が欠かせない、教育基本法も安全保障政策も社会保障政策も根本からつくり直さなければならないとして、阿修羅《あしゅら》の如く走った。目指していた事案のいくつかは実現したが、やり残したこともある。

日本を取り戻すという安倍総理の悲願は未だ道半ばである。安倍総理が斃されたいま、残る人々がその遺志を継ぎ、完《まっと》うするには、本当の日本とは何か、「美しい日本」の姿はどんなものなのか、いまの日本の何をどのように変えればよいのかが分かっていなければならない。本当の日本を深く理解するにはどうしたらよいのだ。そんな想いで、私は結局、古事記に辿りついた。

日本の古代史を辿るとき、私はいつも亜細亜大学名誉教授、夜久《やく》正雄氏の著書から多くを学んできた。たとえば七世紀の白村江《はくすきのえ》の戦いについてである。夜久氏はその著書『白村江の戦　七世紀・東アジアの動乱』（国文研叢書15）で、「六〇七年、隋《ずい》帝国に対して独立を宣言した日本天皇が、大唐《たいとう》、新羅《しらぎ》の連合軍に対して百済《くだら》の救援のために兵を発する凜然《りんぜん》たる独立国日本の詔書《しょうしょ》」と紹介し、不幸にもわが国は敗れはしたが、白村江の戦いは情宜《じょうぎ》に基づいて百済を援《たす》けた筋を通した義戦だったと書いている。

日本国には中華世界に対する独立国の気概が満ちており、唐において日本人の地位が高かったのは、日本が戦いに敗れても和を請《こ》わず、自ら防備を固めて三十余年間も唐と対峙《たいじ》し続けたからだ、との夜久氏の指摘は深く心に残るものである。私はこの名著を畏友《いゆう》・太田文雄氏からいただいた。

白村江の戦いは六六三年。私はこれから、七一二年に成立した古事記についての想いを書こうとしている。

夜久氏の著書は古事記の解説においても私にとって導きの書である。昭和四一（一九六六）年発行の『古事記のいのち』（国文研叢書1）で氏が指摘したように、古事記は「日本民族の自覚の書」である。日本国の建国は精神的にはそのとき始まったといってよい。

日本列島に住む人々が、自分たちは日本民族だと自覚し、自分たちの思い描く理想の国造りにいそしんだ。日本民族は山や森や川や海とともに生命を育み、集落を作り、国を形成した。その過程で多くの神々や英雄が知恵を絞り、土台を作り上げた。すべてが何の犠牲もなくなされたわけではない。多くの神々や英雄たちが犠牲になり、死んでいった。神々と英雄のそうした犠牲の根底に愛する美しい祖国に殉《じゅん》ずる想いがあった。

死は単なる死ではなく、日本国という大きな存在のなかに溶けこみ、その一部となって後世の人々に受け継がれていく。日本国を守って死んだ神々と英雄たちはそのような形で日本国の命の源となっていく。

「本当の日本」

安倍総理が取り戻したかった「本当の日本」とはどんな国なのか、それをきちんと書き記そうと決意したのが第四〇代天皇の天武天皇（在位六七三〜六八六年）だった。

古事記の序文にはこう書かれている。

「朕《ちん》の聞くところによると、（わが国の成り立ちについての）歴史物語はすでに真実と異なる多くの虚偽がまじっている。今、その欠陥を改めなければ遠くない将来、国家の道理、皇心の基礎である真実の伝承が失われてしまう」

こうして天皇自ら稗田阿礼《ひえだのあれ》に壮大な日本国の物語、古事《ふること》を語り聞かせる作業が始まった。天武天皇はそれ以前の日本が中華文化の影響を少なからず受けていたことを認識し、日本国の国柄に合わないと感じられたのであろう。それ故に日本国の成り立ちをいま明らかにし、それを心に刻み、大和の道を歩む必要があると考えておられたに違いない。

実は中華文化と訣別して、大和の道を歩むという決意は聖徳太子（五七四～六二二年）以来のわが国の道である。

古事記に描かれた日本国の真の姿について、二〇二三（令和五）年一月二七日、皇統保持の論客として知られる竹田恒泰氏と「言論テレビ」で対談した。竹田氏は日本国の成り立ちをざっと以下のように語った。

「初代天皇、神武天皇に至る系譜から日本国の国柄の基本が読み取れます。天照大《あまてらすおお》御神《みかみ》の子供の神さまが天之忍穂耳命《あめのおしほみみのみこと》です。この神さまは豊秋津師比売命《とよあきづしひめのみこと》と結婚します。この比売命は実は非常に有力な神の娘なのです。この二神の間に生まれたのが邇邇芸命《ににぎのみこと》です。邇邇芸命は木花之佐久夜毘売《このはなのさくやびめ》と結婚します。毘売の父親は山の神です。

邇邇芸命は高天原から地上に降りてこられた神です。天孫降臨の神様ですが、すぐに天皇になったわけではありません。なぜって、地上に降りてきても誰も知り合いもいない。そのために地上世界で最も力を持つ山の神と縁を結ぶのがよい。そこで生まれてきたのが火遠理命《ほおりのみこと》、私たちが山幸彦と呼んで親しんできた神さまです。火遠理命の結婚相手は海の神の娘でした。この二神の間に生まれた鵜葺草葺不合命《うかやふきあえずのみこと》はもう一人の海の神の娘と結婚しました。

こうして日本の海も山も、日本国全体が親戚となった。大きなひとつの家族となった。そのとき初めて、鵜葺草葺不合命の子供の神である神倭伊波礼毘古命《かむやまといわれびこのみこと》、つまり神武天皇が天皇となり、日本を統治することになったのです。

さらに神武天皇は日本東征を果たしましたが、そのときに結婚したのが大物主神《おおものぬしのかみ》の娘でした。大物主神は大和の地で最有力の神さまでした」

日本国をお創りになった神々は力で治めるのではなく、和を以て治めることを目指した。そのために人間関係ならぬ神様関係を築き上げて、その後に初めて天皇におなりになった。力による統治ではなく、和による統治が日本国の根本であることを、古事記はその冒頭で語り伝えている。それが日本らしさの根底にあることを、改めて認識する。

天性の明るさこそ強さ

古事記に登場する多くの神々、英雄たちは実に素直な存在である。神々も英雄たちも、私たち人間一人ひとりが異なるように、実に個性豊かである。一人として同じではない。だれ一人として、建前や一般論で量れる存在はない。予定調和の枠内に収まりきる聖人君子はいない。

登場する主役、脇役の神々も英雄も、懊悩《おうのう》し、愛し、妬《ねた》み、喪失し、怒り、自己犠牲を払い、失望し、希望を見出《みいだ》し、全力を尽くす。私たち人間の体験するありとあらゆる情感を共有し、揺れ動き、傷ついてはまた立ち上がる。溢《あふ》れる熱情と愛に衝《つ》き動かされる。それ故にもだえ苦しむ。弱さをたくさん持った存在である。

しかし、きわめて人間的で素直なその生は圧倒的に他者のために捧げられる故に、自身の命を超えた次元で生き続ける。人々は忘れない。慕い続け、その人の目指した道を継いでいく。そして想いはいつか実現するのだ。古事記に表現されている古代人の、私たち日本人はこうありたいという想いの最も貴い側面はこの素直さであろう。

日本国を造るために奔走する神々と英雄を、古事記は生身の存在として情感豊かに描いている。神であっても万全ではなく、長所も短所もある。それを古事記は包み隠さず表現している。万能であり、絶対神であるキリストの姿とは正反対の日本の神々の姿をそこに見るのである。

古事記は「素直な心で人間そのものを捉《とら》へようとしている」と夜久氏は評しているが、水を飲み下すように納得できるくだりだ。古事記を伝承した稗田阿礼、編纂《へんさん》を命じた元明《げんめい》女帝、忠実に役目を果たした太安万侶《おおのやすまろ》、古事記成立の時代を生きた人々も皆、この素直さが日本人の日本人らしい心持ちであり、自分たちの国の基本的価値観だと思いなしていた。

安倍総理は素直で朗《ほが》らかな人だった。「モリカケサクラ」問題などで朝日新聞を筆頭に普通なら耐えきれないような不条理窮まる非難を浴びた時でさえ、落ち込んだあとは朗らかさを取り戻した。

生来のこの朗らかさは、物事を真っ直《す》ぐに見つめる力から生まれていると思う。現実から目を逸《そら》さず、真っ直ぐ見つめれば、自分の身に覚えのない問題は、真実ではないために霞んでいく。気にならないはずはないだろうが、それに囚《とら》われなくなる。分かる人々は分かってくれると信じ切る力があった。安倍総理が持っていた天性の明るさこそ、総理の強さだ。

倭建命の物語

国家平定のための力

古事記にはいくつもの山場があるが、その一つが倭建命《やまとたけるのみこと》の物語である。未だ日本統一がなされていない第一二代景行《けいこう》天皇の時代に、倭建命は東奔西走して国の統一を成し遂げた。古事記は簡潔な文章で、一六歳の小碓尊《おうすのみこと》（のちの倭建命）が父君の景行天皇の命を受けて旅に出る場面を描いている。その場面を、倉野憲司氏校注の岩波文庫版『古事記』昭和三八年版から拾ってみる。

「ここに天皇、その御子《みこ》の建《たけ》く荒き情《こころ》を惶《かしこ》みて詔《みことの》りたまひしく、『西の方に熊曾《くまそ》建《たける》二人あり。これ伏《まつろ》はず禮無《ゐや》き人等《ひとども》なり。故《かれ》、その人等を取れ』とのりたまひて遣はしき」

天皇は、小碓尊の猛々しく荒い性格を恐れられて仰った。「西の方に熊曾建の兄弟がいる。二人は私の命令に従わない無礼な人たちだ。お前が行ってその人達を成敗してきなさい」

なぜ天皇は小碓尊を恐れていたのか。それは、その直前に彼が兄の大碓命《おほうすのみこと》を天皇の命に従わなかったという理由で殺害していたからだ。

景行天皇は美しい二人の乙女を見初《そ》めて妻にしようと考え、大碓命に二人をお連れせよと命じた。しかし、大碓命は二人の美しい姿に魅《み》せられ我慢できず、自分の妻にしてしまった。代わりに、別の乙女二人を父である天皇に捧げた。

天皇は二人が替え玉だと見破ったが、大碓命を罰することもなかった。大碓命はさすがに心が引けたのであろう。いつも共にする朝夕の会食に顔を見せなくなった。

そこで景行天皇は小碓尊に、会食に参加するよう兄を説得せよと命じた。しかし、五日目になっても大碓命は姿を見せない。天皇は小碓尊に「まだ説得していないのか」と尋ねる。小碓尊は「すでにしました」と答え、「どのように」と問われたときにこう答えたのだ。

「明け方、厠《かわや》に行こうとするのを待ち伏せして、手足を引きもいで薦《こも》に包んで投げ捨てました」

古代日本社会の荒々しさが描かれている。天皇はさすがに驚いたのであろう。この乱暴者を身近に置くより、西の熊曾建兄弟の征伐に送りこもうと考えたのである。

一六歳の小碓尊は父天皇の命を受けて、大役を任されたとの想いを抱いたはずだ。父の期待に応えようという純な気持ちがあったはずだ。彼は征伐の旅に出る前に姨《おば》

（叔母）の倭比売命《やまとひめのみこと》を訪れ、天照大御神のご加護を意味する衣裳一式を贈られて元気に熊襲《くまそ》征伐に行く。

九州の南の果てまで歩いていった小碓尊は熊曾建兄弟の館で開かれた宴《うたげ》に、倭比売から贈られた衣裳を身にまとい紛《まぎ》れ込んだ。女装した一六歳の若者は美しく、すぐに兄弟の目にとまった。招かれて二人の近くに侍《はべ》った彼は、二人に酒を飲ませ剣で刺殺する。烈しい戦いの末、熊曾の弟建《たける》は小碓尊の正体を知り、彼に新たな名称として「倭建命」を献上した。以降、小碓尊は倭建命となる。

こうして倭建命は山の神、川の神、海の神も平定し、大和《やまと》目指して意気揚々と帰路に着く。その途中でも、出雲《いずも》建《たける》を、今度は謀略を用いて滅した。

このように、古事記は国家平定の手段として殺害する力、謀略で倒す力が縦横に駆使されていたことも描いている。その意味で古代社会においては力の行使も謀略も策略も中国の専売特許ではなかった。国を守り、民を守るためには、全力で戦うのは当たり前だということだ。

倭建命の苦しい運命

往時のその時代、どの国の民話にも神話にも神々と英雄の命をかけた戦いが描かれている。多くの勢力がバラバラに分かれている国土をまとめて国家統一を成し遂げる過程では、暴力も戦争も騙し討ちも全てが必要だった。

古代のそのような姿を、現代の価値観で批判したり論評するのは間違いである。古事記は私たちの遠い祖先に当たる人々がどのように考え、どのように行動したかということを素直に記した。隠し立てしたり、飾り立てたりしてはいない。古事記から読みとるべきは、この素直な日本人の心の在り様であろう。

数知れぬ戦いに勝利をおさめ、倭建命は郷里の大和に戻った。さすがに倭建命は疲れきっていた。ところが疲れきって報告に及んだ倭建命に天皇は命じた。

「東の方十二《とをまりふたみち》道の荒ぶる神、また伏《まつろ》はぬ人等《ひとども》を言向け和平《やは》せ」

東方の諸国には荒ぶる神、従わない者どもがいる。説得して従わせよと言い、すぐに旅立つよう命じたのだ。倭建命は、再び叔母の倭比売命に訴えた。前回と異なり、今度は涙ながらに心情を語っている。「天皇既に吾《あれ》死ねと思ほす所以《ゆゑ》か」と。天皇は、私に死んでほしいと思われているのでしょうか、と正直に叔母に尋ねているのである。

倭建命は心底、悲しかったのであろう。辛《つら》かったのであろう。さらにこう訴えた。

「何《なに》しかも西の方の悪《あ》しき人等《ひとども》を撃ちに遣はして、返り参上《まいのぼ》り来《こ》し間、未だ幾時《いくだ》も経《あ》らねば」と。

西征の旅で天皇の命に従わぬ悪者を制圧し、体にはあそこにもここにも切り傷がある。芯から疲れ果てた体を引き摺《ず》って、けれど父天皇の御命令を無事完了できたという誇りに満ちた、喜びの報告をするためにようやく大和に戻ってきた。

もしかして父君の天皇は、一言、よくやったとお誉めの言葉をかけて下さるやもしれない。そんな想いもあったであろうに、父天皇は休息の日々を与えることなく、今度は東方にいる荒ぶる悪しき神々を説得して従わせよ、東方の荒れた諸国を平安にせよ、と命じられた。この仕打ち、東征の御命令を出した父天皇は私に死ねと仰っているのか、と叔母の倭比売命に泣きながら訴えたのだ。

倭建命がこのように深く悲しんだ背景には、前回と今回の使命に大きな違いがあることも一因であろう。西征の旅と東征の旅は、根本的に意味が異なるのである。西のほうにはそこを支配している熊襲がいた。強い敵ではあるが、彼らの下《もと》ではその地方なりの秩序が保たれている。従って熊襲兄弟を滅せば、その地方の平定は可能だ。

しかし、東はそうではない。多くの荒ぶる神がいるのである。その神は異教の神かもしれず、予測のつかない手強《てごわ》い敵である可能性が高い。加えて、荒ぶる神を退治したとしても、その地域はもともと秩序だった社会になっていないのであるから、平和な秩序を打ち立て得る保証はないのである。
果敢に西を制した倭建命といえども、東征について天皇から賜《たまわ》った使命は、その若い身にはあまりに重い使命だった。だから倭建命は泣いて訴えた。それだけ苦しい運命だということであろう。彼はその運命に耐えようと決意しながらも、叔母に訴えなければ耐えられないほど、辛く苦しい心だったということであろう。

日本人の群像

安倍総理の望んだ教育

ここで夜久氏が『古事記のいのち』で展開した解説を少し長いが引用する。私の心に深く響いた解説である。

「国のために何かするといふことは、自己一身の生活の上からいって、必ずしも幸福になるとは限りません。むしろそれは、深刻な悲劇を背後に負はねばならぬことが多いでせう。しかし、国のためといふときには、個人はその悲劇を乗り越えていかねばならないのです」

「(倭建命は) 自己一身の感情をこえて、一つの大きな国の生命の流れといふものの中に、身を捧げていったからこそ、始めて真の英雄といふ資格を獲得するのだと思ひます」

古代の人々が倭建命という英雄を描いたのは、私たちの祖先の人々が、そういう英雄が実在し得たと、現実に考えた結果であり、また同時に、そのような英雄の出現を望んだからであろう。

古事記を読めば、古事記を書き、伝え、まとめた人々の気持ちに触れることができる。一千数百年も前に日本を国と成した人々の強い意志の発露とその苦悩を追体験できるのである。夜久氏はこう書いている。

「このやうな勉強の仕方を続けていきますと、日本の国家形成、すなはち国作りの悩みや苦しみ、祖先たちの激しい意志の中に、我々の身を触れさせることになるのです。国家の形成を考古学や経済史で見て、弥生《やよい》式土器の時代から鉄器文明の古墳時代に入った、といふことだけでは、国家形成の内的動因を感得することはできないでせう。人間をぬきにして歴史があるはずはないからです」

戦後日本の歴史教育では、人間について教えない。歴史こそ、人間の営みであるにもかかわらず、教えないのである。

血の通った人間中心の歴史を教えれば、その教育の中から、湧き立つ夏雲のように、日本国を造ってきた立派な日本人の群像が見えてくる。しかし、私の受けた歴史教育を振りかえっても、日本人を否定的に評価し、或《ある》いは批判することはあっても、立派な人物集団として教えられた記憶は無い。家庭での母との会話は別にして、学校での歴史教育は実に味気ない記憶ばかりだ。

実際には日本には歴史上、男も女も、貧しい者も富《と》める者も、奇跡のような善《よ》き人々、立派な人々が存在した。そうした事実を知れば必ず、明るい展望を抱き日本人としての自信を抱くことができる。日本のみならず、アジアと世界にとって未来を照らす有力な存在となり得る。それを可能にするのが人間中心の歴史教育だ。それが安倍総理の望んでいた教育の真髄であろう。

防人の歌のすばらしさ

日本がどんなに特別の国であったか。その一例を、先に紹介した夜久氏の『白村江の戦』で見てみよう。戦いに敗れたあと、日本は外敵、唐の襲来に備えた。九州筑紫《ちくし》には防人《さきもり》たちが集った。その防人たちの歌が白村江の戦いから約九〇年を経て万葉集に集録されているのだ。日本人なら、その歌のすばらしさを味わわない手はないだろう。

「八十国《やそくに》は難波《なには》に集《つど》ひ船飾《ふなかざ》り我《わ》がせむ日《ひ》ろを見《み》も人《ひと》もがも（足柄《あしがら》の下の郡の上丁《かみつよほろ》、丹比部国人《たじひべのくにひと》）

（国々の防人たちはいま難波に集まって出航の準備の船飾りをしてゐる、私が船飾りをして出航する日も近い、その日の私の凛々《りり》しい姿を見てくれる人がゐてくれればなあ！——故郷の父よ、母よ、はらからよ、村の人々よ！　やがて私は勇しく出てゆく、見てくれる人はなくとも）

難波津《なにはづ》に装《よそ》ひ装《よそ》ひて今日《けふ》の日や出《い》でて罷《まか》らむ見《み》る母《はは》なしに（鎌倉の郡の上丁、丸子《まるこの》連《むらじ》多麻呂《たまろ》）

（難波の港で船の装備をつゞけつゞけていよ〳〵今日といふ日に出航するのだ、見る母はゐないが）」

夜久氏は、防人の歌は実に世界の奇蹟だと指摘している。そのとおりである。氏は言う。

「どこの国に、西暦七五五年代に、かくも多くの兵士たちの詩を残しえた国があったらうか。これにはその兵士たちの名さへ残されてをり、妻の名さへも残されてゐる。そしてその数十首——約八十首が、みなすぐれた歌である」

安倍総理は歴史教育に心を砕いた。歴史認識問題として慰安婦や徴用工問題が報道されることが多いが、日本人の日本人としての自覚を育て、正しく日本人像を理解するための歴史教育について、安倍総理は深刻な危機感を抱いていた。国家の意味、日本人がどのような価値観を重視して日本国建設に勤《いそ》しんだかを皆の共有認識として定着させたい、と考えていた。

第一次安倍政権では、真っ先に六〇年ぶりの教育基本法改正を実現した。強い反対に遭いながらも、国を愛することの大切さを基本法に入れたのだった。それでも愚かな議員らが、愛国心という言葉を「わが国と郷土を愛する」に薄めた。

ちなみに、反対したのは公明党だった。愛国心という言葉は「国家主義の復活」だという理由だった。全く意味をなさない。開かれた保守主義者として、安倍総理が望んだのは真っ当な歴史教育だった。

日本初の辞世の句は女性

いま世界は、プーチン氏の侵略に晒され、烈しく戦うウクライナの姿を目撃している。ウクライナ国民はゼレンスキー氏の下での団結を崩そうとはしない。すでに多くの国民が命を落とし、戦場となったウクライナ各地では、これからも死者は増え続けるだろう。それでもウクライナ人は戦い続ける。祖国を守るために、戦場となった地域を含めウクライナ全土で、一人ひとりの死を乗り越えて、命を乗り越えて、進み続ける。

日本人のなかには、国民に犠牲を強いる戦いを続行するウクライナ大統領のゼレンスキー氏を責める人々もいる。早く停戦に持ち込み、妥協して、国民の命を守るべきだという人、ウクライナ全国土の回復よりも大切なのは国民の命だという人々もいる。

だが、白村江の戦いを戦った先人たちは断固、そうではないとして国の守りを固めた。防人の一人ひとりが前述の歌のように祖国を想い、母や妻を想いつつ、国防に勤しんだ。古事記の人々もまた同じように語っている。

東征の旅に出て相武國《さがむのくに》に辿りついた倭建命は、その国造《くにのみやつこ》に欺《あざむ》かれる。

「この野の中に大沼あり。この沼の中に住める神、甚道速振《いとちはやぶ》る神なり」

野原にある大きな沼にはひどく荒れすさんでいる神がいますと倭建命は知らされた。ならば様子を見に行こうと出かける。国造はこのときぞとばかりに火を放って、倭建命を焼き殺そうとする。

倭建命は謀略に気づき、叔母の倭比売命から賜った霊力を有する草薙剣《くさなぎのたち》を抜いて草木を苅り払い、防火帯をつくった。そのうえで、これまた叔母から賜った袋のなかから火打石を取り出し、逆にこちらから火を放った。火打石と火打金は当時最先端の発火道具だ。この火で国造勢を迎え撃って滅し、難を逃れたのだ。

東征の第一歩で倭建命は、広い野原ごと焼き尽くされかけたのだ。ようやく危機を脱して一命を取りとめた倭建命は東征を続け、走水《はしりみず》（浦賀水道）に着いた。海を渡って北上しようとしたまさにそのときに、俄《にわか》に海が大荒れし始めた。

古事記には記述はないのだが、日本書紀によれば、倭建命が房総半島のほうを望まれて「これは小さな海だ。立ち走っても渡ることができよう」と言い、海の神の怒りに触れたために暴風が起こり、船は沈みかけたとある。

そのとき、倭建命の妻、弟橘《おとたちばな》比売命《ひめのみこと》が仰った。

「妾《あれ》、御子に易《かは》りて海の中に入らむ。御子は遣はさえし政《まつりごと》を遂《と》げて覆奏《ふくそう》したまふべし」

私があなたの身代わりとなって海に沈みましょう。あなたは天皇から遣わされた目的を遂げて、その実績を奏上なさいませ、と言って入水《じゆすい》したのである。海の神の怒りは鎮《しず》まり、御船は無事に進むことができた。そのとき、弟橘比売命が歌を詠《よ》んでいる。

「さねさし　相武《さがむ》の小野《をの》に　燃ゆる火の　火中《ほなか》に立ちて　問ひし君はも」

これは日本人の辞世《じせい》のはじめとされるが、渡部昇一氏は『古事記の読み方』（ワック）で、日本初の辞世の句が女性によって詠まれ、しかもそれが愛の歌であることが目ざましいと激賞している。古代からわが国は女性をきちんと認めていたということであろう。

古事記、万葉集などを読む限り、またそのあとに続く平安時代の女流文学者や歌人の群像が確立した、世界に抜きん出た作品群を読む限り、日本が男尊女卑の国であるという批判は、まことに、当たらない。

女性の権利の保障は無論大事だが、権利担保のその形において米欧の形が全てではないことを、私たちは実体験で知っているのではないか。日本には日本独自の形があることを誇りにしたいものだ。

日本国の生命に

美智子さまのお言葉

弟橘比売の右の辞世に関して、上皇后陛下の美智子さまが、平成一〇（一九九八）年の第二六回国際児童図書評議会（ＩＢＢＹ）での基調講演で触れていらっしゃる。当時皇后陛下でいらした美智子さまの講演以上にすばらしい解説はないと思う。少々長いけれど、お言葉を以下に引きたい。

〈父のくれた古代の物語のなかで、一つ忘れられない話がありました。〉

年代の確定出来ない、六世紀以前の一人の皇子の物語です。倭建御子《やまとたけるのみこ》と呼ばれるこの皇子は、父天皇の命を受け、遠隔の反乱の地に赴《おもむ》いては、これを平定して凱旋するのですが、あたかもその皇子の力を恐れているかのように、天皇は新たな任務を命じ、皇子に平穏な休息を与えません。悲しい心を抱き、皇子は結局はこれが最後となる遠征に出かけます。

途中、海が荒れ、皇子の船は航路を閉ざされます。この時、付き添っていた后《きさき》、弟橘比売命《おとたちばなひめのみこと》は、自分が海に入り海神のいかりを鎮めるので、皇子はその使命を遂行し覆奏してほしい、と云い入水し、皇子の船を目的地に向かわせます。この時、弟橘は、美しい別れの歌を歌います。

「さねさし　相武《さがむ》の小野《をの》に　燃ゆる火の　火中《ほなか》に立ちて　問ひし君はも」

このしばらく前、建《たける》と弟橘《おとたちばな》とは、広い枯れ野を通っていた時に、敵の謀《はかりごと》に会って草に火を放たれ、燃える火に追われて逃げまどい、九死に一生を得たのでした。弟橘の歌は、「あの時、燃えさかる火の中で、私の安否を気遣って下さった君よ」という、危急《ききゅう》の折に皇子の示した、優しい庇護《ひご》の気遣いに対する感謝の気持を歌ったものです。

悲しい「いけにえ」の物語は、それまでも幾つかは知っていました。しかし、この物語の犠牲は、少し違っていました。弟橘の言動には、何と表現したらよいか、建と任務を分かち合うような、どこか意志的なものが感じられ、弟橘の歌は——私は今、それが子供向けに現代語に直されていたのか、原文のまま解説が付されていたのか思い出すことが出来ないのですが——あまりにも美しいものに思われました。「いけにえ」という酷《むご》い運命を、進んで自らに受け入れながら、恐らくはこれまでの人生で、最も愛と感謝に満たされた瞬間の思い出を歌っていることに、感銘という以上に、強い衝撃を受けました。

はっきりとした言葉にならないまでも、愛と犠牲という二つのものが、私の中で最も近いものとして、むしろ一つのものとして感じられた、不思議な経験であったと思います。

この物語は、その美しさの故に私を深くひきつけましたが、同時に、説明のつかない不安感で威圧するものでもありました。

古代ではない現代に、海を静めるためや、洪水を防ぐために、一人の人間の生命が求められるとは、まず考えられないことです。ですから、人身御供《ひとみごくう》というそのことを、私が恐れるはずはありません。しかし、弟橘の物語には、何かもっと現代にも通じる象徴性があるように感じられ、そのことが私を息苦しくさせていました。今思うと、それは愛というものが、時として過酷な形をとるものなのかも知れないという、やはり先に述べた愛と犠牲の不可分性への、恐れであり、畏怖《いふ》であったように思います〉
美智子さまの深い洞察につけ加えるものは何もない。

故郷を偲んだ美しい歌

英雄倭建命は実に愛情深く、炎のなかでも妻を案ずる余裕をもった逞《たくま》しくも勇気ある男性だった。しかしその人にも体力の衰えが忍び寄る。倭建命は「荒ぶる蝦夷《えみし》等《ども》」「山河の荒ぶる神等」を平定して、ようやく大和の国に還ろうとする。そこで彼は語るのだ。

「吾が心、恒《つね》に虚《そら》より翔《かけ》り行かむと念《おも》ひつ。然るに今吾が足得歩《えあゆ》まず、たぎたぎしくなりぬ」

私の心は普段は空を飛んで翔けていこうと思っているのに、いま私の足は歩くことができない。足をひきずるようになった。

その姿で少しずつ、大和に近づき、いまの三重県を過ぎて能褒野《のぼの》（三重県鈴鹿市）についたとき、倭建命は故郷を偲《しの》んで美しい歌を詠んだ。

「倭《やまと》は　國のまほろば　たたなづく　青垣《あをかき》　山隠《やまご》もれる　倭しうるはし」

なんという美しさか。

この歌には解説は要らない。声に出して読むのがよい。朗々と読み返すと、万葉の和歌を詠んでいるように自然に節《ふし》がついてくる。

目をつぶって繰り返せば、青々とした山々に包まれた故郷、美しい大和が、そのつぶった目蓋《まぶた》に見えてくる。たぎたぎしくなった足を引きずって、故郷の大和を望めるそのすぐ近くまで帰ってきた。ああ、美しい故郷。懐かしい故郷。大事な人々のいる故郷。そこは何と美しくよい所なのだろう。

そして、倭建命はまた詠った。

「命《いのち》の　全《また》けむ人は　畳薦《たたみこも》　平群《へぐり》の山の　熊白檮《くまかし》が葉を　髻華《うず》に挿《さ》せ　その子」

倭建命は、自分の命はここで果てることを自覚している。もはや最期を迎える。その時にこう言っているのである。

「命を全うすることのできる人は、美しく折り重なる平群の山々の、長寿を意味する樫の葉を、その髪に飾るのですよ、人々よ」と。

「死んでゆく人が、残る者の祝福をしてゐる、といふのです」として、夜久氏は「自分が死んでゆくときに、残る人の祝福を祈るといふことは、容易にできうることではなく、この歌は、倭建命の御生涯の、苦難のはてに辿りつかれた一つの愛の極致《きよくち》の心境といふものをあらはしてゐるのでせう」と書いた。

最後に、倭建命は詠んだ。

「嬢子《をとめ》の　床《とこ》の邊《べ》に　我が置きし　つるぎの大刀《たち》　その大刀《たち》はや」

最後に愛した美夜受比売《みやずひめ》の床の辺に、私が置いた草薙の大刀、ああ、その大刀よ、その大刀はいま、ここにない。

倭建命は詠い終えて、「卽《すなは》ち崩《かむあが》りましき」。息絶えて逝ったという。最後の最後まで全力で生きて、力を尽くして、亡くなった。激しい戦闘を重ねて、勝利を収め続けた。国の統一を果たしたいま、故郷の大和を望むすぐ近くまで帰ってきた。その丘から見るとき、わが家のある方角から雲が湧いてこちらに近寄ってきた。それほど近くに来ていながら、私はもう歩くことはできない。愛する人よ、大刀よ。私の手はもはやそこに届かない。

国のための戦いと愛に生きた濃厚な生を終えて、倭建命は息絶えた。

安倍総理が倭建命に重なる

奈良大和西大寺《さいだいじ》駅前で凶弾に斃れた安倍総理は、あの無機質なコンクリートに倒れ込んで救急手当を受けた。あらん限りの救命措置を施《ほどこ》しても、心肺が再び動き始めることはなかった。その直前まで憲法改正の必要性を語り、台湾有事を語り、日本が準備すべきことを語っていた。

白村江の戦いで敗れた一四〇〇年近く前の人々は、国防の必要性に気付いて備えを急ぎ、それによって大帝国、唐に強い抑止力を働かせた。国民全員が国を守ることの大切さを知り、国防に携《たずさ》わることを誇りとも喜びともした。それが防人の歌に表現されている。

安倍総理は懸命に国防力強化の大切さを説き続けた。

「自衛隊には継戦能力がないのです」

「GDP比二％を防衛費に」

「NATO諸国のように、核の共同使用も議論すべき」

「中距離ミサイルは国産が望ましい」

「台湾有事は日本有事」

どれも皆、いま日本全体で議論していることだ。安倍総理の問題提起があって初めてこうした議論がなされ始めた。日本国の危機を訴え、ともに祖国を守ろうと呼びかけている最中、突然に命を奪われた。最後のひと呼吸まで、日本国はこうあらねばならないと説きつつ、逝った。

私には安倍総理が倭建命に重なって見える。安倍総理が取り戻そうとした本当の日本の姿は古事記の中に神々の物語として記されている。美しくも愛しい、誇り高くも気高い日本民族の国、この国の土台を造るために、どれほど多くの神々と英雄たちが犠牲を払ってきたことか。

混沌《こんとん》たる幕末、列強にこの国を奪われないために多くの人々が命懸けで働いた。多くの有為《ゆうい》の人々が命を喪《うしな》った。総理の地元の吉田松陰先生もそのお一人である。松陰門下生約六〇人のうち、新しい日本建設の途上で命を落とした人々はその約三分の一に上る。

それら全ての人々、日本国のために働き命を捧げた全ての人々はいま、日本という国の大きな生命と融合して、日本国の進む道を指し示す力となっている。安倍総理の命も想いもそのなかに入り、強い力で日本を導いて下さるだろう。日本国の生命ともなって、次の、そのまた次の世代へと受け継がれ、生き続けていく。私はそう確信している。

(『月刊 Hanada』二〇二三年三月号を元に加筆)

本書の第二部は、櫻井よしこキャスターの番組『櫻ＬＩＶＥ　君の一歩が朝《あした》を変える！』（製作／言論テレビ）で放送された安倍晋三氏との対談を元に構成したものです。

言論テレビ http://www.genron.tv

櫻井よしこ（ジャーナリスト）

ジャーナリスト。ベトナム生まれ。ハワイ州立大学歴史学部卒業。「クリスチャン・サイエンス・モニター」紙東京支局員、アジア新聞財団「ＤＥＰＴＨＮＥＷＳ」記者、同東京支局長、日本テレビ・ニュースキャスターを経て、フリー・ジャーナリスト。1995年に『エイズ犯罪　血友病患者の悲劇』（中央公論）で第26回大宅壮一ノンフィクション賞、1998年に『日本の危機』（新潮文庫）などで第46回菊池寛賞を受賞。2011年、日本再生へ向けた精力的な言論活動が高く評価され、第26回正論大賞受賞。2007年「国家基本問題研究所」を設立し理事長、2011年、民間憲法臨調代表に就任。2012年、インターネット動画番組サイト「言論テレビ」を立ち上げ、キャスターを務める。
著書に、『親中派の嘘』『赤い日本』（産経新聞出版）、『何があっても大丈夫』（新潮社）、『迷わない。完全版』（文春新書）など多数。

安倍晋三が生きた日本史

令和５年７月６日　第１刷発行

著　　者　櫻井よしこ
発 行 者　赤堀正卓
発 行 所　株式会社産経新聞出版
〒100-8077 東京都千代田区大手町1-7-2
産経新聞社８階
電話　03-3242-9930　FAX　03-3243-0573
発　　売　日本工業新聞社　電話　03-3243-0571（書籍営業）
印刷・製本　株式会社シナノ

ISBN 978-4-8191-1427-1　C0095